笑いはすべてを
好転させる

成功したいなら相手を笑わせなさい

お笑い芸人 やせ騎士（ナイト）

産業能率大学出版部

まえがき

人は一生でどれくらいの時間を笑って過ごすのか

数ある書籍の中から本書を手に取っていただき、本当にありがとうございます。

本書を手にされたということは、皆さんは少なからず、人を笑わせるテクニックをマスターしたいと思っているのではないでしょうか。読み終わる頃には、きっと満足していただけると確信しています。


突然ですが、ここで、皆さんに質問をさせていただきます。

日本人の平均寿命は84歳。さて、一生の間で笑っている時間の平均は、どれくらいだと思いますか？

平均寿命84歳の10分の1だとすると、8年ちょっとでしょうか？

いや、そんなに多くないかも？　100分の1で8カ月くらい？

うーん、さらに少なく見積もって、2~3カ月程度でしょうか？


答えはいずれも×！

諸説あるようですが、なんと、たったの22時間強しか笑っていないそうです。

もちろん個人差はありますが、それにしても、ものすごく少ないと思いませんか？

もう一度言います。一生の間で人が笑っている時間は、たったの22時間強！　1日24時間にも及びません。

日本人は基本的に真面目な人種です。TPOにもよりますが、笑うと、ヘラヘラしている、ふざけているといった、不真面目な印象を与えることも関係しているのでしょう。


とはいうものの、笑うことは健康に非常に良い効果があると、医学でも実証されています。笑うと血行が良くなる、基礎代謝量がアップする、白血球の一種でガン細胞をやっつけてくれるナチュラルキラー細胞が増える等々……。

もちろん、笑いは精神にも好影響をもたらします。不思議と気分が良くなり、マイナスの感情の悲しみや怒りが鎮まるのは、その最たる例といっていいでしょう。
また、笑いに関する格言をざっと拾っただけでも、こんなにたくさんあります。

笑う門には福来る
笑う顔に矢立たず
笑いは人の薬
笑って損した者なし
笑いは百薬の長
一笑一若　　　等々

そして私の尊敬する喜劇王、チャールズ・チャップリンも、こんな言葉を残しています。

A day without laughter is a day wasted.
（無駄な１日とは、笑いのなかった日のことだ）

こうしたことを併せ考えてみても、笑いには本当に不思議な力がある、笑いはすべてを好転させるといっても過言ではないと思うのです。

笑いの作用で仕事の流れも良い方向に変わる

もちろん、笑ってはいけないときもあります。

お通夜・告別式のとき。
先生や上司に怒られているとき。
奥様や彼女に怒られているとき。
ヤンキーに絡まれたとき（笑）。

特に、奥様や彼女が急に敬語になったときは要注意。皆さんは、自分で気づかないうちに、ほぼ確実に何かをやらかしています。

ついでに、女性が口にする「絶対に怒らないから、正直に言ってみて！」は、罠です。この言葉にだまされて正直に話すと、１００％ブチキレられる未来が待っています……。


こうした例外を除くと、人を笑わせると、その人が幸せな気分になり、それが自分にも返ってくるようになります。笑いはすべてを好転させてくれます。

だとしたら、お笑い芸人のように人の心をつかみ、人を笑わせるトーク術を容易にマスターできないものでしょうか。秒殺（一瞬）で笑わせられないでしょうか。

さらに、それを仕事にも生かせないでしょうか。それによって良好な人間関係を築いたり、スピーチや商談やプレゼンなどの成果を上げるなどして、仕事全体の流れを良い方向に変えられないでしょうか。


こうしたことをわかりやすく説いたのが、本書です。

芸歴18年、3000舞台以上の経験から、人を笑わせる独自のノウハウを持っている私は、「人はどんなときに笑うのか?」、「どうして笑うのか?」という笑いの心理学を熟知しています。

こうした経験に基づいた「人を笑わせる秘訣」をベースに、本書では次のようなことを、できるだけ詳しく伝授してまいります。

・挨拶やスピーチで、一瞬で聞き手の心をつかむコツ
・「なぜ『おやじギャグ』はスベるのか」を徹底分析!
・プロのお笑い芸人はどのようにして「すべらない話」を作っているのか

さあ、皆さんも人を笑わせるコツをつかみ、人を笑顔にする喜びを共有してください。人を笑わせることで、仕事、人生全般の流れを好転させてください。

そして、一生の間で笑う(笑わせる)時間を、100時間、200時間、300時間と、どんどん増やしていきましょう。

目次

第1章

人を笑わせ続けたからこそ成功できた！

本当にやりたかったのは「人を笑わせること」

「どもり」に悩んだ少年時代

私は「お笑い芸人」という、人前で話をするプロです。

こう聞くと、子どもの頃から人前で話をするのが大好きで、得意だったのだろうと思うかもしれません。

でも実際は、喋ることが何よりも苦手で、大嫌いでした。

今の私の姿からすると、サザエさんの母・フネさんが48歳なのと同じくらい信じがたいかもしれませんが（笑）。


私は幼少時代、「どもり・吃音・言語障害」に悩んでいました。書道の先生であり、非常に厳しかった母の躾に対する恐怖感からくる、精神疾患が原因でした。

だから、学校で何かの発表のために人前で話をしなくてはいけないときなど、もう地獄です。

学校に行きたくなくて、朝から胃がキリキリ痛む、なんてことはザラ。小学生なのに神経性胃炎になってしまったこともありました。

人前でどもるのが、とにかくつらかった。

先生に「授業中に僕が手を挙げても指さないでください」とお願いをしに、職員室行ったことさえあります。

そんな状態が、中学3年生まで続きました。幼少の私は、人前で喋ることがイヤでイヤでたまらなかったのです。


ところが、高校に入ると状況が一変します。

相変わらず人前で喋るのは嫌いでしたが、あるとき転機が訪れたのです。

それは、理科の授業中のこと。黒板に化学記号を間違えて書いてしまった先生は、生徒から指摘を受け、書き直そうとします。でも、慌てているからなのか、何度も何度も繰り返し間違えてしまう……その姿を見た私は、思わず大声でこう言いました。

「いやっ！　落ち着けよ！」

この言葉に、教室は大爆笑の渦！

先生に対して上から目線の発言であったことにはお叱りを受けそうですが、この大爆笑を取った瞬間から、不思議なことに「どもり・吃音」が、ほぼなくなっていきます。

以来、人前で、ほとんどどもらずに喋れるようになりました。

子どもの頃の私は、人前で喋るとき、必ず「どもったらどうしよう……」という恐怖心が湧きおこり、そのせいでどもってしまうという、負のスパイラルに陥っていました。

でも、あの理科の時間の大爆笑をきっかけに、「どもらずに喋ることができる」という自信を手に入れました。長年にわたって自分を苦しませていた症状が、解消していったのです。

私は気づきました。すべて思い込みなんだな、と。

「どもる」、「自分はうまく喋れない」と思い込んでいたときは、口を開いても言葉が滑らかに出てくることはなく、喋れば必ずどもっていました。

ところが、「どもることはない」と思えるようになってからは、まったく吃音の症状が出なくなったのです。つまり、すべては思い込みが原因だったのです。

以来、私は大学に入ってからも、バイト先でも人を笑わせることばかり考えるようになりました。「しんちゃんて、面白いね！」と言われることで自己肯定感が上がり、それが快感になっていったのです。

私をトップセールスに押し上げた父の一言

大学を卒業後、私は大手企業に入社し、コピー機の飛び込み営業をするようになりました。しかし、同期がどんどん売り上げを伸ばしていくのに、私はまったく売れません。

「オレは営業の仕事なんて向いてないのかもしれない。辞めようかな……」

当時、建築金物業界の会社に勤務していた父に相談したところ、飛び込み営業で部長まで昇進した経歴をもつ父は、私に一言、アドバイスをくれました。そして、そのアドバイスだけで、私はその後、トップセールスに昇りつめることができたのです。

では、父のアドバイスとは？

それは、「お客様を笑わせろ！」でした（父も人を笑わせることが本当に好きな人でした）。

「そんな単純なことでうまくいくわけないだろ？」と半信半疑でしたが、最初から無理だと決めつけて実践しないのも、よくありません。そこで、まずは試しにと、お客様を笑わせてみたところ、なんと！　営業成績がどんどん上を向いていったのです。

今までは、飛び込み訪問をしても、ほとんどが門前払い。話を聞いてもらえませんでした。

ところが、お客様を笑わせようと心掛けるようになったところ、「君、面白いね」と、耳を傾けてくれるようになったのです。

私の取った作戦を、１つ紹介させていただきましょう。

飛び込み営業では、とにかく顔と名前を覚えてもらうことが大切です。

そこで私は、会社の名刺以外に、「お客様を笑わせる用の名刺」を用意しました。よくある名前の記入例のような形で、「押し売り太郎」とか「叩き売り太郎」といった名前を載せた名刺を、オリジナルで作成したのです。

訪問先では、まずは「笑わせる用の名刺」を差し出して、ご挨拶。「押し売り太郎」の名刺に相手が笑ってくれたところで、企業名と本名が載った本来の名刺をお渡しするという流れです。なんとかしてお客様に自分を印象づけ、顔と名前を覚えてもらえるように工夫を凝らしました。

あの手この手で笑いを取りにいったおかげで、成約率は急激にアップ。そして、入社３年目には主任という、同期入社では最も早いスピード昇進を果たします。

こうして、私はあることに気づきました。

それは、「笑いはビジネスにも役立つ」ということです。

成功、挫折……そして、第二の人生へ

飛び込み営業の成功体験で自信をつけたのでしょうか。これまで無難に生きてきた私でしたが、生まれて初めて目標らしきものが見えてきました。

それは「社長になりたい」、「金持ちになりたい」、「厳しい母から離れて自立したい」というものでした。

今思えば恥ずかしいのですが、社長で金持ちになれば女性にモテるだろうという下心があったのです。なんとも単純な動機ですね（笑）。

会社を辞めて起業を決断するものの、案の定、母は猛反対。大喧嘩の末に、半ば勘当状態で家を飛び出し、単身大阪にわたりました。そして、多くの方の協力を得て、人材派遣会社を設立。

私の実力でもなんでもなく、たまたま時代がよかったからでしょう。10年間で8社を経営するまでに成長しました。

私の浅はかな予感は、見事的中。青年実業家となった私は、本当に女性にモテるよ

うになり、連日、遊びまくるようになりました。

夢にまで見た「金持ち社長」の生活。でも現実は、会社、仕事、従業員、顧客――扱う金額が増えるに正比例して悩みも増え、お金があっても心が満たされることはありませんでした。

「お金持ち＝幸せ」だと思っていましたが、決してそうではないと気づいたのです。

その後、とあることがきっかけとなり、設立10年目に、経営していたすべての会社が倒産。自己破産に追い込まれて無一文になり、人間不信に陥り、さらには離婚……。

生まれて初めて絶望的な挫折を味わい、人生のどん底に突き落とされた私は、38歳の誕生日に自殺を図ります。死のうとした人間が言うのもなんですが、あのときは、本当に死ぬかと思いました（笑）。

しかし、このときのどん底体験には、大きな意味がありました。

自殺が未遂に終わり、「私は生かされたのだ」ということを痛感した私の頭には、こんな思いが浮かびました。

一度死んだと思って、これからの第二の人生、自分が本当に好きなことをやろう。

はじめのうちは、いくら考えても「自分が本当にやりたいこと」、「自分の好きなこと」がわかりませんでした。でも、何時間も考え、ノートに書き出し、頭を整理していったところ、結論が出ました。

それは、「人を笑わせること」でした。

念願の「お笑い芸人」になる

ヘビメタ芸人としてデビュー！

お笑い芸人になることを決意したものの、問題は、それをどうやって実現するか、でした。当時の年齢は38歳。そこからお笑いの学校・ＮＳＣに入るのも遅い気がしました。

そんなとき、なんばグランド花月の前に貼ってあった「Ｒ-１ぐらんぷり２００６」のチラシと遭遇します。そこには、「年齢・性別・事務所問わず。素人でも参加可」と書いてあるではないですか！

私はその場で参加を決め、素人枠で「Ｒ-１ぐらんぷり２００６」に出場することにしました。

芸名は、魔界岩棲（マカイロックス）。昔からヘビーメタルやハードロックが大好きで、KISSや聖飢魔Ⅱさんに憧れていたので、その真似をするかのように悪魔っぽい白塗りメイクをして、実際にエレキギターを弾きながら漫談をするという、唯一無二のスタイルの芸風で出場しました。

すると、これがきっかけとなって、NSCには入らず、オーディション組で吉本興業（大阪）の所属芸人になることができたのです。

さらにその後、当時の高視聴率番組、日本テレビ「エンタの神様」のオーディションに合格！　なんと、2回も出演させていただく機会を得ました。

テレビに舞台に、自分の本当に好きな「お笑い」の仕事ができて、毎日の生活が楽しく充実するようになってきた時期です。

人生初の単独ライブ！　でも、お客様はたった1人だけ

では、その後は順風満帆だったのでしょうか。現実は、そんなに甘くはありません。

私は芸人の仕事が大好きでしたが、売れない芸人のギャラは安く、それだけではと

ても生活できませんでした。

お金がなさすぎて生活に苦労し、もやしだけで1週間を食いつないだこともあります。おかげで、もやしレシピで30種類以上のレパートリーができました（笑）。

なんとかして現状打開を図ろうと、日本ダイエット健康協会認定のダイエットインストラクター資格を取得し、「お笑い」、「ダイエット」、「健康」を活動の軸に定め、芸名を「やせ騎士（ナイト）」に改名します。

そして、まずは自分の存在を知ってもらおうと考え、「ノーギャラ（無償）で構わないので、お笑いをやらせてください」と、地元の高齢者施設、公共施設などに営業をかけまくりました。「お笑い」で社会貢献がしたい！という一心でした。

最初のうちは、仕事といえば、たまに地元のイベントの司会としてお声がけいただく程度。ほかの仕事やアルバイトを掛け持ちして生活せざるを得ませんでした。

でも、そうするうちに、ノーギャラのボランティアではあるものの、徐々に依頼が増え、単独お笑いライブをやらせていただけるようになりました。

地元広報誌の表紙を飾らせていただいたり、埼玉新聞に取り上げていただいたり、少しずつですが、「お笑い芸人やせ騎士」としての私を認知してもらえるようになっていったのです。

自信がついた私は、今度はノーギャラではなく、有料の単独ライブを自主開催することにしました。自分でチラシを作成して地元で配ったほか、SNSでも告知をして準備を進めました。

生まれて初めての有料単独ライブ。ワクワクしながら迎えた当日、来てくれたのは、チラシを見て足を運んでくださった、女性のお客様1人だけでした。

わざわざ足を運んでくださったことを思うと感謝の気持ちでいっぱいで、その1人のお客様のために、60分のネタを全力でやらせていただきました。

同時に、現実の厳しさを痛感し、ライブ終了後に1人で悔し涙を流しました。

さて、そんな私の姿を苦々しく見つめる家族がいました。母です。

「いい年こいて、まだ夢を追い続けているのか？ 仕事まで辞めて、お金にならないお笑いをいつまで続けるんだ？」

連日のように繰り返される親子喧嘩。40歳を過ぎても反抗期だった私は、ある日、ものの弾みで、こんなやりとりになりました。

私「いったい、どうしたらお笑い芸人としてのオレを認めてくれるんだ？」

母「地元の市民会館を満席にして、そこで大爆笑取ってみなさい。そうしたら私も認めるよ！」

地元の市民会館とは、８００人を収容できる大ホールです。勢いで啖呵（たんか）を切ったものの、単独ライブには1人しか来なかったことが頭をよぎります。

無理難題に頭を抱え込みましたが、以前学んだ成功哲学の1つである「ビジュアライズ」が思い浮かびました。

「ビジュアライズ」とは、自分のなりたい姿や願望を頭の中で鮮明に想像して映像化し、毎晩それを思い浮かべながら寝ると叶いやすくなるという自己実現手法です。

そこで、私は毎晩、８００人満席の市民会館で大爆笑を取っているシーンをありありと想像しました。

すると……。５カ月後に奇跡が起こったのです。

運の神様は人を笑わせる人に味方する

初めて体験した８００人の大爆笑

ある日、隣町からの依頼で、敬老会のゲストに呼ばれることになりました。それは、かつて私がボランティアで行ったお笑いライブを観ていた市役所の方が推薦してくださった仕事でした。

当日の来場者数は、なんと、目標の８００人！　母との約束達成です。

実は、これは敬老会のイベントだったため、来場者にはお土産として地元で使える商品券が配られます。だから、私を観に来たというより、商品券を求めて来た８００人だと思いますが、それでも構いません。８００人の前でお笑いができるのですから、こんなに嬉しいことはないのです。

芸人は、ウケれば天国、スベれば地獄。地元の会場で８００人を前にスベれば、私は超がつくほどの地獄を味わうことになるでしょう。

私は魂を込めて、持ちうるすべての力を出し切って、50分のネタを披露しました。不安を抱えて立った舞台の結果は、大爆笑の連続！　今まで10年以上ためてきたネタの中から、ウケたものだけを凝縮して披露しましたが、大爆笑に包まれた会場に、私も全身に鳥肌が立ちました。

渾身の50分間が終わり、最後に心からの感謝の気持ちを込めて、たくさん笑っていただいたお客様に「ありがとうございました！」と、深々と頭を下げました。すると、その途端にものすごい拍手が沸き起こったのです。

初めて体験する、８００人の拍手の迫力。地響きのような拍手が凄まじかったことを、今でも鮮明に記憶しています。

「えっ⁉　ものすごい拍手……マジかよ……」

大きな拍手を聞いた瞬間、目頭が熱くなり、思わず泣きそうに……。でも「自分はプロだ！」と言い聞かせ、なんとか涙をこらえたのでした。

そんなとき、思い出したんです。

「そうだ！　今日はお袋が見に来ているんだ！　これだけウケたんだから、お袋も絶対にオレを認めてくれるだろう。皆さんと一緒に、さぞかし笑顔で拍手を送ってくれているに違いない」

そんな期待を胸に、私は客席にいるはずの母の姿を必死に探しました。

そして、ようやく見つけた母は、なんと……。

衝撃の続きは、第6章「❸ 母との雪解け」で！

「笑い」が事態を好転させる

ここまで、私がなぜお笑い芸人になったのか、その経緯についてお伝えしました。

一度は本気で死のうと考えた人間が、お笑い芸人になろうと決意。しかし、はじめの10年間は芸人だけではなかなか食べていけず、何度も辞めようと考えました。

それでも諦めずに続けていたら、とうとう人生を好転させることに成功。

今では母の応援も得られ、お笑いという世界で一生懸命生き、毎日が充実して本当に幸せな日々が送れるようになりました。

数年前、私は中学校の同窓会で司会を務めることになりました。同級生の誰もが、私だとは気づきません。自己紹介をしたときに初めて、「あの、どもりだったしんちゃんが!?」と、ビックリされたのでした。

これまでの軌跡を振り返ってみると、私の人生はまさしく波乱万丈、紆余曲折の連続でした。

しかし、どのシーンでも事態が好転するときの共通点として「笑い」が大きく関係していいます。言い換えると、人を笑わせるように心がけると、人生が良い方向に好転することを、身をもって体験したような気がするのです。

皆さんも、もし、仕事や人間関係でうまくいっていない、あるいは報われない人生を送っているとしたら、人を笑わせてみませんか。

なにも、お笑い芸人になる必要はありません。

「人を笑わせよう」という心がけが、仕事や人間関係や恋愛を好転させるに違いありません。きっと人生が拓けます。

でも、どんなときに、どのタイミングで笑わせればいいのでしょうか？

シーンや状況により、笑いの取り方にコツはあるのでしょうか？

では、次章から、笑わせるためのテクニックやノウハウを、私なりに導き出したエビデンスを元に、余すところなくお伝えしていきましょう。

第2章

相手を笑わせると、仕事も人間関係もうまくいく

1 なぜ、おやじギャグはスベるのか？

そもそも「おやじギャグ」とは

その場を盛り上げようと気を使っているのか、若い女性の気を引こうとするのか、世のおじさんたちの中には「おやじギャグ」を口にする人がいます。

でも「おやじギャグ」と言われるものは、面白いでしょうか？　心の底から笑えるものですか？

おそらく、多くの人が全力で首を横に振ると思います。

では、なぜ、おやじギャグは面白く感じないのでしょうか。そもそも「おやじギャグ」とは一体何でしょうか。

「おやじギャグ」の定義や意味を辞典で調べたところ、次のように記されていました。

多く、中年男性が口にするとされることから、俗に、言い古された冗談や、おもしろくないしゃれ。

「デジタル大辞泉（コトバンク）」より

古くさいギャグ。型にはまったギャグや冗談。

「現代用語の基礎知識」（１９９８年版～１９９９年版）より

まったくウケない、つまらぬギャグ。

「若者ことば辞典」より

これ以上挙げると、今、本書を読んでくださっているおじさんたちの未来が奪われてしまいそうなので、もう、これくらいにしておきましょう。

おじさんの皆さん、とりあえず涙を拭いてください……（笑）。

言葉の使い方がギャグをスベらせている

「おやじギャグ」がウケない理由を考えてみましょう。

ジェネレーションギャップなども関係していますが、最大の要因はズバリ「言葉の使い方」にあります。そう、ワードセンスに問題があるのです。

「おやじギャク」をよく考察すると、古い言葉、死語、下ネタ、寒いダジャレなどが目につきます。それでは若者は笑ってくれません。

もし、笑ってくれたとしたら、それは、皆さんが相手から見て顧客や上司などの目上の存在であるため、義理で笑ってくれただけです。

つまり、おやじギャグで笑いを取れたように思えても、「ウケた！」と調子に乗らないでほしいのです。

逆にいえば、言葉（ワード）の使い方によって、駄洒落やギャグでもウケることがあります。私の父がそうでした。父は狙って笑いを取りにいく名人でした。

例えば、高級フレンチレストランに行ったとき。「お肉の焼き方はいかがなさいますか？」と尋ねられると、わざと「じゃあ、ガスでお願いします」と返事をする。

また、眼科に行ったときは、「最近、老眼で字が見えずらくなりましてね。私は頭も悪いし、目も悪い！　いいのはマスクだけですよ。顔面偏差値が高いから、顔だけだったら東大入れるのにねえ……」とぼやき、受付の方を笑わせていました。

父のワードセンスを読み解いてみましょう。「いいのは顔だけ」とは言わず、あえて「マスク」と言う。さらに、「顔面偏差値が高い」と言い換える。

そう、ストレートな言葉（ワード）を使わず、英語で表現したり、類似語を使ったり、とにかくひねった言い回しで、変化球を返しているのです。

ですから、おじさんの皆さんも、少しだけ、言葉（ワード）の使い方を変えてみることから始めてください。それだけで、ワンランク上の「おやじギャグ」に生まれ変わるかもしれません（笑）。

笑いは最大の付加価値になる

マインドツリーで問題を可視化する

第1章でもお伝えしたように、初めて開催した私の単独ライブのお客様は、たったの1人だけでした。

その悔しさをバネにして、私は「なぜ、自分のお笑いライブには人が集まらないのか？」を真剣に考えるようになりました。

とはいうものの、頭で考えるだけでは、なかなか答えには至りません。

こんなときは……そうです、ノートに書き出すのです。可視化、つまり、悩みや問題の「見える化」を試みることにしました。

まずはノートの真ん中に、「どうしたら人が集まるお笑いライブができるのか？」

と書き、アイデアを思いつくままに羅列していきます。そしてそれらを放射線状につなぎ合わせ、マインドツリーを描いていくと、答えが浮かび上がってきたのです（下図参照）。

その答えとは、「世間（人）の求めていることをすればよい」というものでした。

今まで私のやっていた「お笑い」は、私が面白いと主観的に思ったことを披露したものでした。

でもそれは世間（人）に求められた「お笑い」ではなく、自己満足の笑いだったことに気づいたのです。

では、世間（人）は何を求めているの

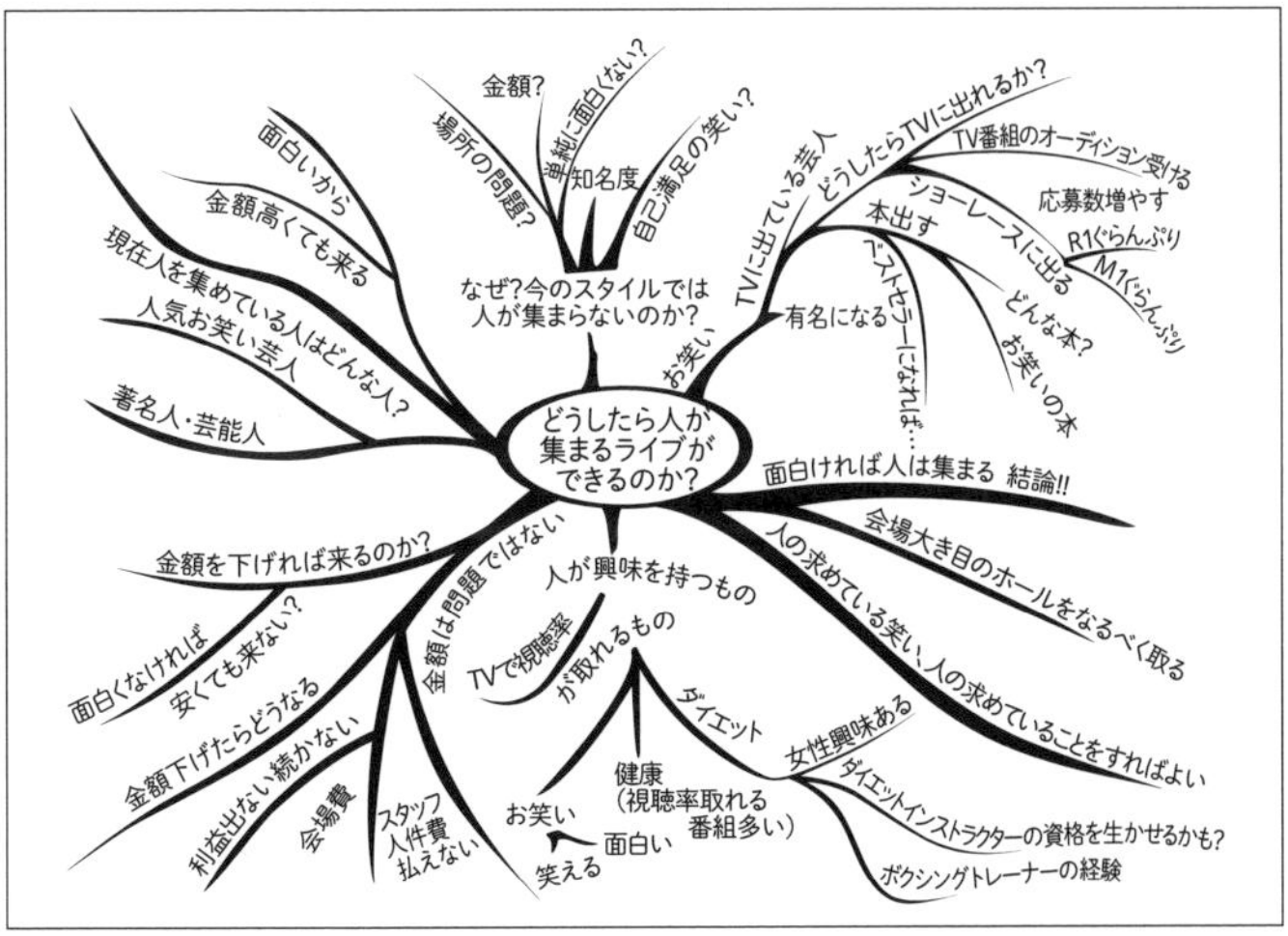

でしょう。私は、テレビ番組で視聴率が取れるとされるジャンルを調べることにしました。

それは、「お笑い」、「健康」、「ダイエット」の3つでした。

世間が求めるものに付加価値をつけて提供する

世間（人）が求めているのは「お笑い」、「健康」、「ダイエット」――このことがわかると、私にインスピレーションが湧いてきました。

私は、ボクシングジムでトレーナーをしていた経験があります。トレーナー時代に培った減量指導やダイエット方法を、笑いを交えながら伝えてみるのもいいかもしれない。世間（人）が求めていることにフィットする可能性があるぞ……。

私は改めて、「ダイエット」と「健康」について徹底的に勉強することにしました。そして、日本ダイエット健康協会認定の「ダイエットインストラクター」資格を取得します。

さらに、芸名を吉本興行時代の魔界岩棲（マカイロックス）から、現在のやせ騎士（ナイト）に改名して、「ダイエットインストラクター芸人・やせ騎士（ナイト）」として活動することにしたのです。

するとどうでしょう。徐々に仕事の依頼が増えるようになったのです。

まったく営業や宣伝活動をかけていないにもかかわらず、「笑いながら健康やダイエットの知識が学べる」という評判が口コミで広がり、仕事が急激に増えていきました。


その後も、ライフワークは順調に発展していき、今では某大手企業様のイベントで２０００人満席の前で「お笑いダイエットセミナー」を開催するまでになりました。

初めての単独ライブでお客様を1人しか集められなかった私が、２０００人も集められるようになれたなんて、今でも本当に信じられません。

私のセミナーに大勢の人が集まるようになった秘訣は、ズバリ「世間（人）が求めることをやったこと」。この1点に尽きるといっていいでしょう。

本業の「お笑い」だけでなく、そこに「ダイエット」と「健康」という要素を取り入れたことで、人を集められるセミナーになったのです。

要するに、世間が求めるテーマ（ダイエット、健康）に「笑い」という付加価値をつけたことが、最大の秘訣だと思うのです。

ダイエットのみ、健康のみのセミナーでは、こんなに人を集めることはできなかったでしょう。

ダイエットや健康を学べるセミナーは、全国に多数存在します。そこに「お笑い」という、ほかと差別化を図る要素を足したことによって、笑いながら楽しく学べるセミナーに変身。

だからこそ人が集まったというのが、私の行き着いた結論です。

これはセミナーの世界だけに限りません。世間（人）が求めることを知り、付加価値をつけて提供すれば、どんな商売もうまくいくと私は確信しています。そして、どんなテーマとも相性のよい「笑い」は、最大の付加価値になるのです。

3 人を笑わせると、ここが変わる！

人を笑わせると、好感を持たれる

付加価値をつけて世間（人）が求めることをする――これに気づいたおかげで、私の「お笑いダイエットセミナー」は好評を博し、それに伴い、仕事も人間関係もうまくいくようになりました。

ではなぜ、仕事も人間関係もうまくいくようになったのでしょうか。

理由の1つに、人を笑わせると好感を持たれるという点が挙げられます。

笑うことが嫌いな人はほとんどいません。笑うと楽しい気持ちになれるし、嫌なことや悲しいことがあっても、笑うことで気持ちが楽になり、ゆううつな出来事を忘れることができますよね。

私も笑うことは大好きですが、職業柄、人を笑わせることはもっと大好きです。

皆さんの周りにも、いつも笑わせてくれる面白い人っていませんか？　キャラにもよるとは思いますが、その人のことは好きですか？　嫌いですか？

きっと「好き」なのではないでしょうか。いつも笑わせてくれる面白い人に対しては、好感を持っているはずです。


私も舞台でお客様からめちゃめちゃウケたときは、最後に「皆さん、私のことは好きですか？　それとも……大好きですか？」と尋ねるようにしています。すると皆さん、「大好き」と答えてくれます（笑）。

人柄やキャラクターなど、いろいろな要素が関係しているので一概には言えませんが、おおよそ、笑わせてくれる人には「嫌いの選択肢」がなくなるといっていいと思います。

「笑わせてくれる＝楽しい気持ちにさせてくれる＝好感を持つ」という式が存在するというのが、私の持論なのです。

だから、楽しい気持ちにさせてくれる面白い人には、また会いたくなるでしょう。

それが仕事であれば、「この人と仕事をしたら楽しくなりそう」と思ってもらえるようになり、商談がうまくいく確率も高くなるわけです。

だとしたら、善は急げ。早速、人を笑わせて、好感を持ってもらえるようになりましょう！

人を笑わせると、商談の成約率が上がる

私は大学卒業後に一般企業に入社し、コピー機の飛び込み営業をしていましたが、当初はまったく売れない営業マンでした。でも、「お客様を笑わせろ！」という父のアドバイスに従ったことで、トップセールスマンになることができました。

では、どのようにしてお客様を笑わせたのでしょうか。

例えば、お客様の前で、仲のよい同期と漫才をする。お客様が吸っている火のついたタバコを、その場でタバコごと消す手品をする。また、「押し売り太郎」、「叩き売り太郎」といった名前で名刺を作り配った話は、第1章でも紹介しましたね。

このように、とにかくお客様を笑わせることばかり考えていたのです。

するとそれまでは、名前どころか会社名さえ覚えてもらえていなかったのが、次第に私のことを認知してもらえるようになりました。すると、成約率も爆上がり！

顔と名前を覚えてもらえたことで、何かあったときに、「よし、あのときの彼に頼もう」と、思い出してもらえるようになったのかもしれません。

まずは営業担当である自分のことを認知してもらうのが、受注への第一歩。そして、顔と名前を覚えてもらうには、相手を笑わせるのが近道です。

一方で、何千件も回っていると、私の方がお客様の顔と名前が一致しなくなってきます。そのため、お客様に声をかけられても、名前が思い出せないことがよくありました。

だからといって、「どちら様でしたっけ？」とは、口が裂けても言えません。ここだけの話、笑ってごまかしながら話を合わせたことが何度もありました。

例えば、こんなこともありました。

ある日、顔はわかるのに、名前が出てこないお客様と、偶然にも町で遭遇した私。お客様は超フレンドリーに声を掛けてくださり、「せっかくだから、お昼ご飯でも一緒に食べよう！」と、ホテルの最上階の高級ランチをご馳走してくださいました。

ところが、食事の間も、そのお客様の名前がどうしても思い出せません。

「ええと、Aさんだったけ？　いや、Bさんかも……。なんとお呼びしようか……ああ、名前が出てこない……どうしよう……」

まさに地獄の60分。たいへん高価なランチだったので美味しかったはずなのですが、まったく味がしませんでした。

ちなみに、いまだにそのお客様が誰だったのか、わかりません。この本を読んで、「それ、多分私だ」と思う方はご連絡ください（笑）。

話が逸れましたが、名前を覚えきれないほどたくさんのお客様に会えるようになったのも、お客様を笑わせることを徹底したからです。

では、実際に私がお客様から笑いを取ったフレーズのいくつかを紹介しましょう。

年収を聞かれたとき

お客様「君の会社は大手企業だから給料も高いでしょう？　年収いくらぐらいもらってるの？」

私「そうですね、3000万くらいですかね」

お客様「えぇっ！　3000万円も？」

私「3000万といっても、単位ウォンですけどね」

既婚・未婚を尋ねられたとき

お客様「君は結婚しているの？」

私「いえ、独身です。でも、女と同棲しています」

お客様「なんだ、同棲中の彼女がいるんだね」

私「女といっても、私の母ですけどね」

冬の商談で

私「社長、なんとか今日契約をいただくことはできませんか？」

お客様「んー、もう少し考えさせてくれないかな」
私　「お願いします！　社長、実は、私には寝たきりの母がいるんです……」
お客様「え！　それは大変だね」
私　「寝たきりといっても、コタツで寝たきりの母ですけどね」

このようにお客様を笑わせると好感を持たれるようになり、それに伴い商談がうまくいき、契約も取りやすくなります。さあ、皆さんも早速試してみてください。

人を笑わせると、プレゼンがうまくいく

ビジネスシーンにおいて、プレゼンテーション（以下、プレゼン）をする機会は多いと思います。

プレゼンと一口に言っても、パワーポイント資料を映し出しながら行うこともあれば、パンフレットや提案書を用いて説明をすることもあり、いろいろなパターンが存在します。

私が普段やらせていただいている「お笑いダイエット講座」や「お笑い長生き健康講座」などのネタは、約60分から90分、長い時で120分の尺（長さ）で、パワーポイントで作成したネタのスライドをプロジェクターで大きなスクリーンに映写するパターンがほとんどです。

なぜ、パワーポイントでネタを披露するかというと、これにはしっかりとした理由があります。

人間は普段、視覚、聴覚、触覚、嗅覚、味覚の五感からたくさんの情報を得ています。その中でも情報を最も多く得られるとされているのが視覚で、その割合は、なんと、約87％！　視覚から得た情報は記憶にも残りやすいといわれています。

つまり、プレゼンを行ううえで、視覚に訴える方法が最も効果的ではないかと、私は考えたのです。実際、舞台に立つと、喋るだけの漫談よりも、画像でボケて、それをツッコむスタイルが1番ウケることがわかりました。

皆さんもプレゼン時に、これを応用してみてはいかがでしょう。

1つの方法として、パワーポイントの画像にボケ画像を入れて笑いを取ってみるのです。

ボケ画像とは、例えば、写真。真面目に商談をしている最中に、自分や相手（担当者様）の写真を突然出してみるのもいいでしょう。急にそんな画像が出てきたらビックリしますが、思わず笑っちゃうと思います。

相手も飽きずに聞いてくれること、間違いなし。しかも好感を抱いてもらえるようになり、商談もスムーズに進むかもしれません。

後ほど詳しく紹介しますが、これは、業界用語で「緊張と緩和」の笑いのテクニックといいます。プレゼンという緊張感のある場で、急に見慣れた顔が表れたら、緩和の効果でつい笑ってしまうのです。

使う画像は、担当者様のほか、クライアント企業に関連するものを使うと効果的です。

私はよく、クライアント企業の社長さんの写真を使います。これが社員さんにめちゃめちゃウケるんです。社長さん以外にも、いわゆる「お偉いさん」をネタにすると笑いを取れやすくなります。内輪ウケのテクニックですね。

また、フリートークや漫談で笑わせるときも、その業界のマニアックな用語を使ってみたり、業界、クライアント企業、社長さんなどの裏話を盛り込むと盛り上がります。

ですから私は、事前に各種裏話や失敗談などをヒアリングしておいて、ネタにすることが多いです。もちろんビジネスですから、あくまでも失礼にならない範囲に収めましょう。

また、地方でお笑いライブをするときは、必ずその土地のあるあるや名産品を調べてネタにします。すると、皆さんとても喜んでくれます。ぜひ、皆さんも試してみてください。

人を笑わせると、集客力が高まる

世の中を見渡すと、さまざまな種類のセミナー、講演会、各種イベントが、毎日全国各地で開催されています。そうしたセミナーやイベントが抱える悩みの共通点は、ズバリ、集客。特に入場料を取る場合は、収益に関わるので、お客様が来てくれるかどうか、主催者側はハラハラ・ドキドキです。

では、集客力の高いセミナーや講演会やイベントとは、どんなものなのでしょう？「勉強になる」、「自分にとって有益な情報を得られる」などいろいろありますが、1番の決め手は「内容が面白いか」です。この1点にかかっているといっていいでしょう。

例えば、「ためになりそうだ」と思って参加したセミナーであっても、面白くなければ寝てしまったり、スマホをいじって聞くのをやめてしまったり、「この後何を食おうかな？」なんて上の空になったりするのがオチです。そんなセミナーに、わざわざお金を払ってまで参加したくはないですよね。

こんなときも、やはり「笑い」が最強の武器になります。私が実際に行っている「お笑いダイエット講座」、「お笑い長生き健康講座」、「お笑い営業スキルアップセミナー」では、有益な情報を提供しつつ、ところどころに「笑い」を取り入れるように心がけています。

例えば「お笑いダイエット講座」では、スライドを使って「太りにくい食べ順」を紹介します。食べる順番を変えることで血糖値の上昇を緩やかにし、インスリンの急な分泌を抑えて、糖質を脂肪細胞にためにくくするというメカニズムです。

これは「フリ」です。まずは「目からウロコ」と感じてもらえるような情報を提供し、聞き手の関心を引くのです。

そして、聞き手が興味を示したところで、スライド画面に、みそ汁、野菜、お肉、目玉焼き、ご飯のイラストを出して、「どの順番で食べると太りにくいでしょう?」と問いかけます。

聞き手が頭の中で「太りにくい食べ順」を思い描いただろうな、というタイミングで、「正解は、こちら!」と次のスライドへ。

ところが、スライドに映し出されるのは、要潤さんの写真。そして、「あっ! いっけねー、太りにくい食べ順じゃなくて、要潤が出ちゃった!」というボケ。くだらないと思われるかもしれませんが、これが、いつも本当にウケるんです。つまり、業界用語でいうところの「鉄板」です。

要潤さんの写真は、お客様の年齢層に応じて井上順さんにしたり、松本潤さんにしたり、アレンジして見せます。

内容が面白く、参加していると楽しいと感じる。有益な情報を得られるうえに、笑える!

要するに、ここでも「笑い」という付加価値を付けることが、集客力を高める最大の秘訣なのです。

人を笑わせると、会話が弾む

私は読書が大好きです。特に、自己啓発書や成功哲学系の本はたくさん読んできました。にもかかわらず、まだ全然成功できていませんが……（笑）。

それはさておき、皆さんは『夢をかなえるゾウ』（水野敬也著 文響社）という本をご存じでしょうか？　私はこの本が大好きで何度も読み返しました。

本の中には成功するための課題が29個登場します。その中の1つに、「会った人を笑わせる！」という課題があります。実は、私はこれを毎日必ず実践しています。

一例を挙げましょう。私はいつも、プラスチック製の小さいうんこの形をしたおもちゃを持ち歩いています（何を持ち歩いとんねんっ！　笑）。

初対面の女性には、挨拶代わりに、「髪の毛に何かついてますよ」と声を掛け、ゴミを取るフリをして、手の中に忍ばしていた、そのおもちゃを出します。

「うんこついていました！」と、手のひらを開いてうんこのおもちゃを見せたとき、笑わない女性は今のところ皆無（笑）。

子どもに会ったときも同じことをします。子どもはうんこが大好きですから、スベり知らずです。

さらに、同じ方と次にまた会うとき。

今度はうんこではなく、ゴム製の鳩のおもちゃを手の中に隠しておきます。そして、「髪の毛に何かついてますよ」と前回と同じフリをしておいて、今度は手の中から鳩を出すのです。すると、想像以上に笑ってくれます。

これらは、「いたずら芸」。はじめはビックリが先行しますが、途中から必ず笑い出し、満面の笑顔になってくれます。

実は、ここにも笑いのテクニックが隠されています。

相手からすると、前回はうんこが出てきたから、「今回もどうせ、うんこだろう？」と思いますよね。しかし相手の予想を裏切り、鳩を出す。

つまり、「裏切りと驚きの笑い」です。これはかなり高度な技ですが、私がいつもやっているほんの一例です（だから、普段から何をしとんねんっ！　笑）。

もちろん、うんことゴム鳩を持ち歩く人はまずいないと思うので、物を使わずに笑ってもらえるネタも1つ紹介しましょう。

初めて会う女性には、「○○さん、本当に綺麗で若いですよね」と言ってみてください。すると、たいていの女性は「そんなことないですよ～、もうおばちゃんです」と謙遜して返してくるので、次にこんなフレーズを口にするのです。

「女性に歳を聞くのは本当に失礼だとわかっていますが、令和何年生まれですか？」

女性の場合は、このように褒めて（？）笑いを取るのが効果的。

物を使うにしても使わないにしても、覚えておいてほしいのは、「会った人を笑わせる」ということです。これだけで、印象が変わります。

特に初対面の場合は、互いに緊張が和らぎ、好感を持ってくれること請け合いです。人を笑わせると自分自身も嬉しく、楽しい気持ちになります。そこから会話が弾み、コミュニケーション能力が高まり、人づきあいも楽しくなります。

『夢をかなえるゾウ』の中には、人を笑わせて、人を喜ばせて、人を幸せにした分、自分に幸せが返ってくると書かれています。

さあ、皆さんも会った人を笑わせてみてください。「笑活」のスタートです。

人を笑わせると異性にモテる

これはどちらかというと、男性が女性を笑わせる場合です。

もちろん、「関西の女性は素で面白い方が多いから、男性にモテるのでは?」というご意見もあるかもしれませんが、ここではちょっと脇に置いておいてください。

私は女性を笑わせたい。笑顔に勝る化粧はない、と考えていますから、私は女性の笑顔を見たいがために、必死に笑わせることばかり考えてきました。

例えば、初対面の女性とは挨拶代わりに、こんなやりとりを交わします。

私　「お若くてお綺麗ですね」
女性「いえいえ、若くないですよ」
私　「そうですか?　いってたとしても、23か24くらい……?」

女性「またまた〜。そんなこといっても何もでませんよ」
私「ごめんなさい、靴のサイズですけど……」

これは、鉄板です。今まで、このネタでスベったことはありません。
また、近年の連絡先交換はＬＩＮＥが主流ですが、私は気に入った女性とは、こんなやりとりをするようにしています。

私「電話番号を教えてくれませんか？」
女性「初対面なので、それはちょっと……」
私「じゃあ、わかりました！　全部じゃなくていいので、下８桁だけ教えてください」
女性「それ、ほぼ全部じゃないですか！」

このように、ちょっとひねるだけで、女性は笑ってくれます。もちろん、電話番号も無事ゲット（笑）。

応用編として、必死に電話番号を聞こうとして、「じゃあ、電話番号じゃなくていいから、せめて出席番号教えて！」とか、「せめて口座番号教えて！」、「せめて年金番号教えて！」なども、実際にウケたフレーズです。

女性を笑わせる秘儀は、ほかにもまだまだあります。かなりの荒技ではありますが、1つだけ紹介しましょう。

ファミレスに入ったところ、可愛い店員さんを見つけました。注文後に、彼女が「ご注文を繰り返します。○○と××、以上でよろしいでしょうか？」と言ったら、すかさずこう伝えるのです。

「あっ、ちょっと待って！　デザートに、君ね！」

ドン引きか、失笑か、めちゃめちゃ笑ってくれるか……かなりリスクは高いですが、私は学生時代にこの方法がきっかけで、可愛いファミレスの店員さんと付き合えたことが2回あります。ただ、相当な勇気と気力と体力を必要とするので、あまりオススメはできません。真似して通報されても、責任は持てません（笑）。

ここまでご紹介したネタの中には、実用性のないものもあります。ただ、お伝えしたいのは、「笑うことが嫌いな女性」や「自分を笑わせてくれる男性が嫌いな女性」は、ほとんどいないということです。

ですから、「モテたい」と願う男性は、早速、「笑活」を始めてみてください。特に関西圏では、イケメンよりも面白い男性の方がモテるらしいですから、たくさん女性を笑わせましょう。

繰り返しとなりますが、ポイントは「褒めて笑いをとる」こと。というより、「褒め過ぎて」笑いをとることです。

ただし、女性は容姿や体型や年齢をいじられると、好感どころか不快な気分になり、確実に嫌われます。その点はくれぐれも注意してください。

人を笑わせると、承認欲求が満たされる

人間や動物には本能的に３大欲求というものが備わっています。１つは「食欲」、２つ目は「睡眠欲」、そして最後に、皆さんが１番強く持つ「性欲」です（笑）。

でも、動物にはなく、人間のみが持つ、もっと強い欲求があるのを、皆さんはご存知でしょうか？

それは、「承認欲求」です。

人は誰でも、褒められたり認められたりすると嬉しいものです。賞状やトロフィー、金メダルが存在するのは、そのためです。

その承認欲求を満たすものとして、人に笑ってもらうことも含まれるのではないかと、私は思います。人から笑ってもらえると、なんだか自分を認めてもらえたような気持ちになり、気分が高揚するからです。

人を笑わせたい欲、すなわち「笑欲」が満たされると、自己肯定感も上がります。綺麗な女性や若い女性に笑ってもらえたときの、社会的に認められた感は半端ないです（笑）。女子高生や女子大生から爆笑が取れたときは、本当にヤバい！　自己肯定感が爆上がりします（笑）。

「笑欲」は、笑わせられる側も持っています。「笑って気分転換したい」、「誰かが自分を笑わせてほしい」と考えている人は多いものです。笑いたい側と笑わせたい側が同時に欲を満たせるなんて、一石二鳥ですよね。

お笑い芸人という職業柄、「笑欲」は人一倍強い私。よく行く……じゃなくて、たま〜に行く「接待を伴う大人のお店」で使えるスベり知らずのフレーズを、皆さんに特別にご紹介しましょう。顔は綺麗だけれど胸にコンプレックスを抱えていそうな女性には、こんなふうに声をかけてみてください。

「キミは、顔はお母さん似だけど、胸はお父さん似なんだね」


本章では、人を笑わせることによって生まれる変化をお伝えしました。

人を笑わせること、「面白い人」になることにはメリットしかない。デメリットは何もありません！

大事なことは、老若男女問わず、みんな笑うことが大好きであり、自分を笑わせ、楽しませてくれる人に好感を抱くということ。

学校では、国語や算数などの勉強は習いますが、話し方や人を笑わせる方法は教えてくれませんよね。だから、多くの人は、人を笑わせることは「才能」や「性格」によるものだと思っています。

でも、人の心をつかみ、相手を笑わせるトークとは、「技術」をマスターしているかどうかによるものなんです。

繰り返しますが、人を笑わせるのに必要なのは、「才能」ではなく「テクニック」。

次章からは、人を笑わせるためのノウハウ、コツといったものを、できるだけ詳しく述べていきたいと思います。

第3章

相手を笑わせる芸人秘蔵のテクニック

1 相手を泣かせること、怒らせることは簡単。でも、笑わせるのは難しい

人は、知らない人の話には笑わない

自分が口にした何げない言葉で相手を傷つけ、泣かせてしまった、怒らせてしまった……そんな経験はありませんか？

人間には感情がありますから、意図的にひどい言葉を投げかければ、相手が泣いたり怒ったりするのは当然のことです。

そう、人は簡単に他者を泣かせたり、怒らせたりすることができるのです。

では、笑わせることはどうでしょう。

相手を笑わせようと意図し、自分が面白いと思うことを口にしたからといって、相手が笑ってくれるとは限りません。

実は、ここがとても重要なポイントです。

人を意図的に笑わせることが難しい理由は、相手が笑う条件がそろっていなかったり、笑わせる技術やコツを知らないのに、やみくもに笑わせようとしたりするからなのです。

言い換えると、人が笑うときには、必ず条件や理由やパターンが存在するのです。

例えば、挨拶、スピーチ、講演、演説など、たくさんの人の前で話をするとき、面白いことを言ったつもりなのに、聞き手に笑ってもらえなかった、という経験はありませんか？

日頃から周りの人を笑わせてばかりいる職場の人気者でも、挨拶やスピーチなどでいつものギャグやフレーズを口にしたのに、聞き手が誰一人笑わない、ということはしばしばあります。

それはなぜでしょう？

いろいろな要因が考えられますが、スピーチなどの舞台は「普段とは状況が違う」という点を挙げることができます。

人が笑うのは、あらかじめ話し手の人柄やキャラクターを理解しており、少なからず好感を持っている場合です。言い換えると、話し手と聞き手の間に人間関係や信頼関係ができているときです。

逆にいえば、嫌いな人、よく知らない人が口にすることは、どんなに面白い話でも笑う気にはなりません。

つまり、挨拶やスピーチ、講演や演説などで喋るとき、聞き手が話し手の人となりを知らないと、なかなか笑ってもらえません。

何を言っても「この人、笑わせようと必死だな」といった冷めた心理作用が働いてしまうのです。

このように、人が笑う条件とは、お互いの関係に加え、聞き手のそのときの感情、その場の空気、皆さんの話し方など、いくつもあります。さまざまな条件がそろって初めて、人は笑ってくれるのです。

スピーチでは「ツカミ」を意識する

では、聞き手を笑わせるには、どうすればよいのでしょうか。挨拶、スピーチ、講演、演説など、人前で話をするときを例に考えてみましょう。

最も大事で確実なのが、「ツカミ」を意識することです。

「ツカミ」とは、わかりやすく説明させていただくならば、「話し始めからいきなり笑いを取るテクニック」です。

これは、お笑い芸人にとって必須のテクニック。「ツカミ」で笑いが取れたら、その後は比較的スムーズに笑ってもらいやすくなるからです。

「前説（まえせつ）」という言葉を聞いたことはありますか？　前説とは、劇場での公演や、テレビ番組の公開放送などにおいて、本番前に観客に行う説明のことをいいます。

もともとは、活動写真弁士が映画の上映前に行った説明のことを前説と呼んでいました。近年では、観客に対する諸注意（見学マナー、携帯電話の使用など）を促したり、拍手や笑い声のタイミングの説明をしたりするときにも、前説という言葉が使われるようになりました。

お笑い番組の本番前には、前説として若手芸人が出てきます。これは「ツカミ」の応用で、本番前に会場を温め、笑いやすい雰囲気を作ることを目的としています。若手芸人にとっては、芸のアピール、実力のテストができ、腕試しのできる登竜門的な場でもあります（フリー百科事典「ウィキペディア」より、一部引用・抜粋）。

つまり、お笑い芸人にとって、「ツカミ」はとても大事だということ。

私も話し始めるときには、必ず「ツカミ」を意識します。例えば、シニアの女性がたくさん集まる会場などでは、最初に、次のようなフレーズから始めます。

「今日は若くて綺麗な方がたくさん来るって聞いてたんですけど……。まだ来てないみたいですね？」

「〝美人薄命〟という言葉がありますけど、皆さん、長生きしそうでよかったです」

会場の空気が和らぐ光景が目に浮かんだでしょうか。

「ツカミ」で相手の心をつかむ――これが成功すれば、皆さんと聞き手の間には信頼関係ができたようなもの。そこから先は、聞き手も前のめりになって耳を傾けてくれることでしょう。

それは「笑わせた」のではなく、「笑われた」のです

もちろん、たまたま笑いが取れてしまう場合もあります。

自分は笑わせようとは思っていないのに、意外なところで相手が笑ってくれることは、よくあります。

私自身がそうでした。私の吃音が治るきっかけともなった、授業中に大爆笑を取った「笑い」は、何も考えず口から出た言葉でした。もしあれが意図的に笑わせようとしたものだったら、きっと誰も笑わなかったと思います。

でも、意図的に笑いを取ったわけではないそれは、「笑わせた」のではありません。「笑われた」だけです。

いつ起こるかわからない笑いを待つのではなく、自分が意図したときに相手を笑わせたいですよね。

意図的に人を笑わせるプロが、お笑い芸人。

人は「話し手と信頼関係があるときに笑う」と、先に述べました。では、なぜ人は、会ったこともないお笑い芸人の話に笑うのでしょうか？

それは、聞き手はお笑い芸人のことを「面白いことを言う笑いのプロ」という認識を持って聞いているので、はじめから笑いが取りやすいということが挙げられます。

また、笑いを取ろうとするとき、プロのお笑い芸人と素人さんでは、決定的な違いがあります。

その違いとは、話の組み立て方や話し方、間の取り方です。

つまり、笑いを取るにはコツやノウハウ、ロジックや法則があり、笑いのプロはそれをしっかり押さえているのです。

これは、アマチュアも参加可能なR-1グランプリやM-1グランプリの予選で顕著に表れます。

また、渾身のネタを披露したのに、誰一人ニコリともしてくれない、ということもあり得ます。そんな気まずい状況は、プロのお笑い芸人でもよく経験することです。

テレビで活躍している売れっ子芸人さんでさえ、新ネタを披露するときはもちろん、鉄板といわれるようなネタでさえ、ウケるときもあれば、スベるときもあるものです。

でも、プロのお笑い芸人さんはスベっても動じません。すぐに台本にない台詞、アドリブなどで笑いを取り戻す技術を持っています。

スベってもそれを経験値に変え、ネタを細かく分析して微調整しながら、何度も舞台にかけて試行錯誤し、さらにブラッシュアップすることができます。

そう聞くと「やっぱり、プロと素人では才能からして違うんだな」と思ってしまうかもしれません。

でも、問われるのは才能の有無ではなく、「人を笑わせる技術」を身につけているかどうか。

皆さんは、そういった「人を笑わせる技術」を学校で学んだこともなく、教えてもらう機会もなかったのではないでしょうか。

繰り返しとなりますが、ただやみくもに喋っているだけでは、相手は決して笑ってくれません。

人を笑わせるロジックや法則を理解したうえで、ポイントを押さえて話をすれば、皆さんも笑いのプロのように笑いが取れるようになること必至です。

2

笑いの心理学

人が笑う条件

それでは、人を笑わせる技術の中でも最も重要な、「人はどんなときに笑うのか」、「人はなぜ笑うのか」について考えます。

人が笑うときは、主に次の４つのいずれかが背景にあります。

①共感
②緊張と緩和
③裏切り
④非常識

「共感」とは、日常生活などでありがちな「あるあるネタ」です。

「緊張と緩和」は、笑ってはいけないシチュエーション（緊張状態）にあるときほど、些細なことで笑いやすい、というものです。

「裏切り」は、自分の想像していたことと違う結果になったときに起きる笑いです。

「非常識」は、常識ではありえないこと、やってはいけないことに対する笑いです。

人が笑う理由や条件がわかれば、笑わせるコツをつかんだのも同然です。では、それぞれ具体的に見ていきましょう。

〔共感〕共感したときに笑う

プロのお笑い芸人を見渡すと、世の中には、さまざまな「笑い」が存在するものだなあと感じます。シュールな笑い、マニアックな笑い、狭い世界のみ通じる笑いなど、一般ウケはしなくても、自分の信じる笑いを極めようとする芸人さんは存在します。

ただ、結局そうした笑いは世に出にくく、売れない傾向にあり、自己満足で終わりがちです。

また、お笑い芸人は自身の勉強のために、お笑いライブなどの舞台で、ほかの芸人さんのネタを舞台そでや楽屋のモニターなどでよく観ます。ところが、プロのお笑い芸人が笑うネタは、えてしてお客様にはあまりハマっていないことが多々あります。つまり、「玄人のネタ」は一般ウケしにくいのです。

なぜでしょうか？

それは、「共感」できる笑いではないからです。

「共感される笑い」とは、日常生活でありがちな状況や現象を、あえて指摘することで笑いにつなげるものです。

よく言われる「あるあるネタ」です。

私はダイエットインストラクターという資格を持っているので、よく「お笑いダイエット講座」の中で「太ってる人あるある」というネタをやります。

「友達のために買ったおみやげ、結局、渡す前に自分で食っちゃう」

「『ちょっとだけちょうだい！』の、〝ちょっと〟が、すっげー多い！」

「全然細いのに『え〜、私、太ってるよ〜』と言う女、殴りたくなる」

「すぐ横になりたがる」

「からかわれた時の『もう〜、やだぁ〜！』のパンチ力がめちゃめちゃ強すぎ」

こうした日常の「あるある」ネタは誰もがイメージを思い描きやすく、共感の笑いにつながるわけです。

ダイエット以外にも、「あるあるネタ」はたくさんあります。

「反省会……なのに、笑いながら楽しそうに飲んで食って全然反省してない」

「カラオケボックスで溜め息にエコーがかかって切なくなる」

「鬼嫁……。自分の洗濯物は子どものと一緒に洗うけど、旦那の洗濯物は雑巾とか汚れ物と一緒に洗う」

「洗顔料で歯を磨いちゃう」

「ヘアスプレーだと思って頭にかけたら殺虫剤」

「素っぴんの日に限って憧れの人に会っちゃう」

「中身が入っていると思い込んで持ち上げたヤカンが空だったとき、持ち上がるスピードめちゃめちゃ早い！」

「それって、私のことじゃん」、「こういう人、いるいる！」と、思わず笑ってしまう場合などは、まさにこの「共感の笑い」の作用によるものです。

さあ、皆さんも日常に潜む「あるあるネタ」を探してみてください。

〔緊張と緩和〕緊張感のある状態で滑稽なものを見ると笑う

これはもともと落語家の桂枝雀さんが唱えたものとされ、お笑いの世界では理論・法則として浸透しています。

先生や上司に怒られているとき、お葬式のとき、電車の中、あるいは試験や会議の真っ最中など、笑っちゃいけない状況のときに、思わず吹き出しそうになることってありませんか？

こうした緊張感のあるシーンでは、「笑ってはいけない」という意識が働きます。すると逆に、ちょっとしたことが笑いを誘い、些細なことで笑ってしまうのです。

私も学生時代、友人が先生に怒られているときに、先生の後ろに回り込んで変顔したり、先生のおしりに浣腸するジェスチャーをしたりして笑わせました。でもその後、先生にバレて、出席簿でひっぱたかれたものです。しかも、角で……。

「緊張と緩和」の法則をうまく使った高視聴率番組がありました。ダウンタウンさんが毎年大晦日にやっていた「絶対に笑ってはいけない24時」という番組です。

この番組は、絶対笑ってはいけないというルールのもと、各場面、状況において、笑ったら罰としておしりを思いきり殴られるという状況をあえて作ります。これが緊張です。

そして、いろいろなゲストの方が、普段やらないようなことをして笑わせようとします。これが緩和です。ここでは、ギャップの笑いを駆使しています。

また、かつて私が吉本興業（大阪）所属の時代、魔界岩棲（マカイロックス）という芸名で活動していたときの芸風が、まさにこの「緊張と緩和」を応用したものでした。

憧れのＫＩＳＳや聖飢魔Ⅱさんを真似をした悪魔っぽい白塗りメイクをした私（魔界岩棲）は、舞台袖から舌を出し、お客様を威嚇し、怖がらせながら（緊張）登場します。

ところが舞台中央に立つと、急に謙虚に「あ……、すみません。こんにちは！」と、腰を低くし（緩和）、ものすごく気が弱いキャラをわざと演じるのです。

毎回、舞台やテレビで登場するときには、必ずこの「ツカミ」で笑いを取っていました。

ところで皆さんは、友人や同僚などにとっておきの話をするときに、「聞いて！この前、こんな面白いことがあってさ」などと前振りをしたり、笑いながら話したりすることがありませんか？

これは「緊張と緩和」の正反対。笑いを取りにくくする原因です。

とっておきのネタで相手を笑わせようとしているのに、こんな前振りをつけたり、笑いながら話してしまうと、思ったほど相手は笑ってくれません。

それは、皆さんのテンションを見て、相手は「よほど面白いことを言うんだろう」と期待をするからです。そう、ハードルが上がるのです。

すると、相手の想像の上をいく笑いが求められます。それをなかなか超えられないから、せっかくの面白い話なのに、「ふーん……。それで？」と、相手が微妙な反応をとるのです。

「緊張と緩和」の法則をうまく活用するならば、面白いことを口にするときは、わざと不機嫌な顔をしたり、無表情で淡々と喋るのが効果的。すると、皆さんの表情と話の内容のギャップに、相手は笑ってくれることでしょう。ぜひ、試してみてください。

〔裏切り〕想像と結果が違ったときに笑う

私はプロのお笑い芸人として、人を笑わせるためにちょっとした仕掛けをすることがあります。

その仕掛けとは、「裏切り」です。

お笑い芸人のネタを見ているとき、たいていの人は「多分こんなオチだろうな?」とか、「次は、こうくるだろうな?」などと、勝手に想像します。

その想像を超えたとき、つまり、よい意味で裏切られたときに笑いが生まれるのです。

「裏切り」の笑いの仕組みを理解するために、まず「フリ」の理解から入りましょう。

「フリ」とは、端的にいうと「話の前置き」のことです。

「裏切り」の笑いを取るための「フリ」とは、話がこの後どうなるかを相手に予想させるのです。

例を挙げてみましょう。

「この前、わんこ蕎麦を食べに行ったんだけど」


相手がこんなふうに話し始めたとしましょう。これは「フリ」です。

ここまで聞いた皆さんは、どんな想像をしますか？

わんこ蕎麦とは、お椀に入れられた一口大の蕎麦を食べ終わるたびに、店員さんがお代わりを入れてくれ、満腹になって蓋を閉めるまで、次から次へと蕎麦のお代わりが続くものです。

「わんこ蕎麦を食べに行った」という話（フリ）に、聞き手は「いったい何十杯食べたんだろう？」、「コイツは大食いだから、１００杯以上食べたんだろうな……」などと、勝手に想像を働かせます。

これで「フリ」のセット完了です。つまり、「たくさん食べたんだろうな……」と聞き手に想像させるところが、フリの効果。

そこで話し手は、こう続けるのです。


「１杯でお会計してきた」

「おい、何やってんだよ!?」とか「どんだけ少食なんだよ?」といったツッコミを入れたくなりますよね? (笑)

これが、「裏切り」の笑いです。

前提として、フリに対する予想という、何となく正解らしきものがある。

そこに、予想(正解らしきもの)とはかけ離れたことを口にすることによって、「裏切り」というオチが生まれるわけです。

仕組みを理解したところで、もう1つ例を挙げましょう。

A:俺さ、ものすごい猫舌なんだよね。
B:そうなんだ。
A:この前、冷やし中華をフーフーして食べたし……。
B:どんだけ猫舌なんだよ?

まず、猫舌という「フリ」で、熱い食べ物が苦手なのだと想像させます。ところが、「冷やし中華(冷たい食べ物)にフーフーする」という、ありえない話を続けることで、相手の想像を超えた「裏切り」を口にするのです。


さあ、この仕組み、仕掛け方を理解できたでしょうか。

皆さんなら、どんな「フリ」を考えますか？　続けて、どんな「裏切り」を仕掛けるでしょうか。


ただ、気をつけてほしいのが、「前フリ（予告）は厳禁」ということ。

あらかじめ、「すごく面白い話があるんだけど」とか、「この前、笑っちゃったのがさあ」などと自分から予告するのは、笑いが逃げる典型的なパターンです。

また、よく、友人などから「コイツ、今から面白いことを言うよ！」といったキラーパスが飛んでくることもありますよね。これは俗にいう「無茶ブリ」。他人からの無茶ブリでやらされる話やネタは、たいていスベります（汗）。

先に予告をすることで、相手はどんな面白い話が聞けるのだろうとワクワクしながら待ち構えます。でも、期待されている以上のことを言って笑わせるのはなかなか難しく、結果として、相手に笑ってもらうどころか、ガッカリさせてしまうのです。

相手の想像をよい意味で裏切るには、前フリはしないこと。そして、ただ何となく喋るのではなく、事前に「フリ」、「予想」、「裏切り」のシナリオを描き、ある程度、笑いを計算しておかなくてはなりません。

コツさえマスターしてしまえば、誰にでも仕掛けやすい「裏切り」の笑い。ぜひ、トライしてみてください。

〔非常識〕常識ではありえないときに笑う

人は常識や社会のルールに従って生活しています。その常識を覆す「非常識な言動」が笑いにつながることもあります。

普段、やらなければならないことにはあまりやる気が出ないのに、やっちゃいけないことには不思議とやる気が出る——そんなことはありませんか？　非常識の笑いもそれと同じで、「やっちゃいけない」、「（常識的に考えて）できない」からこそ、面白く感じるという心理を利用したものです。

非常識の笑いでは、常識が「フリ」になり、非常識が「オチ」になります。

コントでよくあるパターンを例として挙げてみましょう。

映画館にはどんな常識があるでしょうか？　すぐに思いつくものとして「暗い」、それから「静かにしなければならない」といった常識がありますね。

ベタなコントでは、映画館は「暗い」のにサングラスをかけて入り、周りが見えにくくて座席に足をぶつけて痛がる、といったものがあります。

または、「静かにしなければならない」映画鑑賞中に、ポテトチップスの袋をベリッと開けて、バリバリ音を立てて食べる、ポップコーンのカップをひっくり返して中身を盛大にぶちまけ、周りの人に迷惑をかける――これが非常識の笑いです。

もちろんこれは、コントだから成立するものであって、映画館で本当にこんなことをしたら、単なる非常識な人、迷惑な人、痛い人になってしまいます（笑）。

ほかにも、非常識の例を考えてみましょう。

健康志向の人がランニングをする。これは常識です。でも、健康志向なのに、くわえタバコでランニングをしたらどうでしょう。非常識ですよね。

外出するときは洋服を着るという常識に対して、全裸に蝶ネクタイを締め、ウエストポーチを付けて外出する。現実世界では確実に捕まりますが、コントだからこそ通用する非常識ですね。

「非常識の笑い」は、ちょっとオーバーに、誰もが「ありえないだろう」と思うことをやるのがポイントです。

「うちの猫、もしかしたら猫アレルギーかもしれない……」と心配したり、「猫が猫カフェのバイト面接に行く」なんていうのも、想像すると笑えます。

全然イケメンじゃないキャラクターの人が、「モテすぎて困る」、「毎月の美容費がヤバい」など、イケメンにしかわからない悩みを打ち明けたりするのも、非常識の1つです。

また、非常識というわけではありませんが、よく名の知れた商品名の逆の行動をとることで、非常識の笑いを生み出すこともできます。「午後の紅茶」を、あえて午前中に飲む。「アンメルツヨコヨコ」を、あえて縦に塗るなどです。

ただ、その時の状況によって、同じ行動をしていても常識と捉えられる場合と、非常識と捉えられる場合があるので、注意が必要です。

例えば、ハロウィン。普段、派手な仮装をしていたら、非常識と捉えられて笑われます。でも、ハロウィンの日であれば、仮装が常識。どんな格好をしていても、誰も笑いませんよね。

このように、常識と逆のことをして笑いを取る「非常識の笑い」。皆さんも良いアイデアが浮かんだら、試してみてはいかがでしょう。

ただし、あくまでコントだから成立するものです。日常生活の中で非常識な行動をとっても、それはただの「非常識な人」になってしまうということを、くれぐれも忘れずに。うまくいけば笑われるけれど、地球出禁になる可能性もあるので注意してください（笑）。

笑いにおける7つのNG

取ってはいけない「笑い」がある

ここまで、人はどんなときに笑うのか、どうすれば笑わせられるのかを考えてきました。

でも、人が決して笑わないとき、笑わせてはいけないときも存在します。

①人の悪口
②人を傷つける笑い
③自慢話
④立場を利用した笑い

⑤マニアックな笑い
⑥自己満足な笑い
⑦下ネタ

こうした話は、すべての人が気持ちよく笑えるものではありません。

また、その場で一時的に盛り上がったとしても、後々問題になったり、後悔したりする可能性もあるので、避けるに越したことはありません。

では、７つのＮＧポイントをそれぞれ見ていきましょう。

人の悪口

人の悪口を言うと、相手はその場では笑ってくれるかもしれません。でも、それで皆さんの評価や好感度は上がりますか？

笑いと悪口は相反するもの。人の悪口で笑いを取ってはいけません。

人を笑わせると好感を持たれ、大勢の人が集まってきます。一方、悪口を言うと、人から嫌われ、人は離れていきます。

「人を呪わば穴二つ」ということわざもありますよね。人の悪口を言ったり、人を陥れようとしたりすると、めぐりめぐって必ず自分自身に跳ね返ってくるというものです。

人の悪口を言っても、皆さんには何のメリットももたらしません。

人を傷つける笑い

悪口同様、人を傷つけて笑いを取るのもＮＧです。

相手がコンプレックスに思っていることや、外見や容姿に対するイジリなどは、言った方はすぐに忘れてしまうかもしれません。でも、言われた方はそれをずっと覚えていて、心の傷として引きずることがあります。

どんなことに傷つき、不快に感じるのかは、人それぞれ違います。誰かにはウケたネタも、別の誰かのことは傷つける可能性があるということは、いつも心に留めておいてください。

人を傷つけて笑わせるくらいなら、自虐ネタで笑いを取りましょう。自分自身の失敗談や恥ずかしいことを赤裸々に話して、笑いに変えてしまうのです。

自虐ネタは、本当にウケます。「人の不幸は蜜の味」なのでしょうね。人間の悲しいサガですね（笑）。時間をかけて練りに練ったネタはスベるのに……。（汗）

自慢話

中高年が若者に嫌われる要因に、「説教」と「自慢話」があります。

お笑いも同じです。先述の自虐ネタとは逆パターンになりますが、自慢話でウケることはほとんどありません。

人が得意げに話す武勇伝や自慢話って、聞いていて面白くないですよね。特に男性の場合、それを女性が苦笑いしながら聞いているのを自覚しましょう（笑）。

自慢話をしたくなったら、自虐ネタに切り替える。これを肝に銘じてください。

ただ、例外的に笑いが取れる自慢話もあります。それは、「ものすごくどうでもいい自慢」の場合です。

例えば、こんなもの。

・NHK「のど自慢」で、歌い出しを聞いただけで、鐘がいくつ鳴るか当てられる
・遠い親戚にひよこ鑑定士がいる
・口と手を全く汚さずにビックマックが食える
・目の動きだけでコンタクトレンズのズレを直せる
・冷蔵庫に「ガリガリ君リッチ」がある
・棒アイスで「アタリ」が出ても交換したことがない
・宝くじで7等が当たった
・歯ブラシを動かすスピードが速い
・カツラだとバレたことがない
・日本一きれいな土下座ができる
・くしゃみするときの音量を調整できる

もっともっと、このどうでもいい自慢を書き連ねたいけれど、この辺でやめておき

ましょう（笑）。

立場を利用した笑い

これは自己主張が強くて、相手を無理矢理笑わせようとする人に多い傾向です。

話し手がお客様、上司、先輩、先生など、聞き手よりも立場が上の場合、聞き手は笑わざるを得ません。

おやじギャグが、いい例です。全然面白くなくても、聞き手は立場上、笑わなくてはならず、内心うんざりしているはずです。

そして、もし相手が笑ってくれたからといって、「笑わせた」と勘違いしてはいけません。それは、社交辞令の笑い。愛想笑いです。

相手の爽やかな苦笑いに、「笑いを取った！」と調子に乗っちゃダメですよ（笑）。接待笑いだと自覚してください。

相手が自分よりも社会的な立場が下にある場合、無理に笑わせようとするのは、むしろ相手を困らせてしまうとわきまえたいですね。

マニアックな笑い

マニアックな笑いとは、ニッチ（狭い）な世界でのみウケるネタで笑いを取るものです。

同じ趣味・嗜好を持つメンバー同士で、マニアックな笑いを交わすのはいいと思います。深い話につながるし、楽しい時間ですよね。

でも、ビジネスの商談や不特定多数に向けたスピーチなどでは、マニアックな笑いは通用しません。

「笑い」には、「話し手（自分）」と「聞き手（相手）」が存在します。自分の話したい気持ちばかりを追い求めず、目の前にいる相手がどんなネタを好み、笑ってくれそうかを考えることも大切です。

人は皆、それぞれ育ってきた環境も違えば、性格も感性も趣味・嗜好も違います。お笑いもしかりで、好き嫌いは人それぞれです。

万人ウケする笑いなんて存在しませんが、だからといって、あまりにマニアックな話で相手を困惑させるのは避けたいところですね。

自己満足の笑い

自分では面白いと思っていても、ほかの人が面白いと思うか、笑ってくれるかは、また別の話。

先に挙げた、「自慢話」や、おやじギャグを含む「立場を利用した笑い」、「マニアックな笑い」などは、本人は面白いと思っているけれど、周りから見たら全然面白くない話の典型例です。

その話が笑えるか笑えないかは、実際に喋り、相手の反応を見てみないとわかりません。

１番良いのは、正直にジャッジしてくれる身内に試してみることです。

例えば、奥さんや兄弟、同僚などに喋ってみて、感想を聞いてみましょう。これが、意外といいフィルターとなります。

自分は最高のネタだと思っても、聞き手が面白いと思わない、笑ってくれない話は、独りよがりの笑いです。

周りの人を自己満足に付き合わせるのはやめて、その笑いは自分の胸にそっと収めておきましょう。

下ネタ

下ネタは基本、男同士か子どもにしかウケません。

話を合わせてくれたり、笑ってくれたりする神様みたいな女性も中にはいますが、かなりレアな存在です。絶滅危惧種です（笑）。

実際に女性に下ネタについて尋ねてみたところ、「正直、笑いたくても笑いづらい」という答えが返ってきました。

下ネタで笑うと、下品だとかエロい奴だとか思われてしまうからです。

そんな女性の心理にも配慮して、女性の前では下ネタは封印。男同士の内々の会話にとどめた方が無難です。

笑いが生まれる話の構成

５Ｗ２Ｈで話を整理する

話のテーマ自体はすごく面白いのに、話があちこちに飛んでしまい、途中から自分でも何を言っているかわからなくなることって、ありませんか。

話が支離滅裂になってしまうのは、内容が整理されていないからです。

話をするときに意識していただきたいのが、「５Ｗ２Ｈ」です。５Ｗ２Ｈとは、When（いつ）、Where（どこで）、Who（誰が）、What（何を）、Why（なぜ）、How（どのように）、How much または How many（いくら？／どのくらい？）を指します。

５Ｗ２Ｈは笑いだけではなく、挨拶、スピーチ、講演、演説など、さまざまなシーンで活用されていますが、これを意識して話すことで、話を具体的に、順序立てて説明できるようになります。

ただ、５Ｗ２Ｈを常に頭に置きながら喋るのはかなり難しいため、事前に話の組み立てを考えておいた方が安全です。話す内容を５Ｗ２Ｈに沿って紙に書き出し、それを組み立てていくのです。

ここで、例を挙げてみましょう。まず話の内容を５Ｗ２Ｈに沿って書き出します（下表参照）。

これをベースに話を組み立てたのが、次の文章です。

When（いつ）	昨日の夜
Where（どこで）	自宅で
Who（誰が）	妻が
What（何を）	唐揚げを作ってくれた
Why（なぜ）	私の好物だから
How（どのように）	妻が唐揚げの横に添えたレモンを手に取り、「レモンかけてもいい？」と尋ねたので、「いいよ」と答えた
How much or How many（いくら／どのくらい）	私の目をめがけて大量のレモン汁を絞り飛ばした

昨日の夜、自宅で、妻が私の好物の唐揚げを作ってくれました。

妻が唐揚げの横に添えたレモンを手に取って、「レモン、かけてもいい？」と尋ねたので、「いいよ」と答えたところ、妻は私の目をめがけて大量のレモンの汁を絞り飛ばしました。


なんとなく要領がおわかりいただけましたか？

話しているうちに取っ散らかってしまうのを避けるためにも、まずは5W2Hを紙に書いて話を整理。それから構成を組み立てていきましょう。

笑いの３原則「フリ・本ネタ・オチ」

笑いが起こりやすくなる話の構成というものがあります。

それは、「フリ」「本ネタ」「オチ」の３原則です。お笑い芸人の漫才やコントは、この３原則を基にネタを作ります。

「フリ」とは、前置きのこと。話の冒頭に、これから何の話をするのかを先立って話すことです。

「本ネタ」というのは、「フリ」の説明。すなわち、どんなことがあったかなど、具体的な話を披露する、最も長い部分です。

そして、最後の「オチ」。これは結末のことをいい、ここで聞き手を笑わせます。

1つ、例を挙げて説明しましょう。

フリ

最近友達がバイク屋を始めたんだ。

本ネタ

もともと、その友達のお父さんが自転車屋を営んでいたんだけど、経営難でお店をたたもうとしたときに、友達が「俺が立て直すよ！」と言って、その自転車屋を継いだんだ。

でも今の時代、自転車だとなかなか儲けるのが難しいと判断して、友達は多額の借金をしてバイク屋を始めたんだ。でも、全然売れなくて赤字続きなうえに、ギャンブルにハマってさらに借金がふくらんで……

オチ

その友達、バイク屋なのに、借金で「火の車」で、「自転車操業」という、わけのわかんない状態になってる。

では、解説していきましょう。

まず「フリ」の段階で、聞き手に「バイク屋に関する話なんだな」と思わせます。

続いて「本ネタ」として、親から継いだ自転車屋をやめてバイク屋になったいきさつを披露。聞き手は、この先の展開、すなわちどういう「オチ」が待っているのか気になり始めます。

そして、最後に、乗り物くくりでバイク、車、自転車をうまく使って「オチ」にした秀逸作品です。……って、これ、私が漫談でやってウケたネタなのですが（笑）。

落語の世界でも使われる3原則

笑いの3原則は、落語家さんも使う技法です。

多少の違いはありますが、ざっくり説明すると、落語の噺(はなし)には「まくら」といわれる導入部分、「本文」といわれる会話・物語の部分、最後に「オチ」あるいは「サゲ」といわれる部分があります。

つまり、落語も「フリ(まくら)」、「本ネタ(本文)」、「オチ(サゲ)」の笑いの3原則を使って構成されているのです。

ちなみに、「まくら」は本文に入るためのフリの意味もありますが、最初に笑いを取って、笑いやすい空気を作る目的もあります。先述した「ツカミ」のようなものです。

笑いの3原則は、落語においても構成の基本だということは理解いただけたでしょうか。

ではここで、もう1つ、3原則を使ったネタを紹介しましょう。

フリ
好きな娘ができたんだ。

本ネタ
それで、勇気を振り絞って、その娘に「携帯の番号教えてくれ」って頼んだら……

オチ
「ごめ～ん、私、携帯持ってないんだよね」と、携帯いじりながら返された。

いかがでしょうか？
ただやみくもに喋るだけでは、人は笑ってくれません。意図的に笑わせたいときは、「フリ」、「本ネタ」、「オチ」の笑いの３原則を活用して、話の構成を考えましょう。

起承転結を意識する

「笑いの3原則」と同様に、起承転結も基本的な話の構成となるものです。

起：話を起こし引き込む
承：主題を展開する
転：視点を変えて興味を引きつける
結：全体をまとめる

具体的に、例文を挙げて考えてみましょう。

起
昨晩、妻と喧嘩をしました。

承

でも、妻の方から謝ってきたので、しょうがないから許してやりました。

転

その後、私がお風呂に入ろうとしたとき、「疲れが取れるから、この入浴剤使ってみて！」と、妻から固形タイプの入浴剤を渡されました。

普段は憎たらしいけど、可愛いところもあるなぁ、と思いながら、渡された入浴剤をお風呂に入れたら……

結

ふえるワカメスープでした。

さらに、この例文を「笑いの3原則」に当てはめると、

起＝「フリ」

承・転＝「本ネタ」

結＝「オチ」

と、なります。

このように、「起承転結」を意識することで話が整理され、聞き手が理解しやすくなります。

「笑い」は「話し手（自分）」と「聞き手（相手）」によるコミュニケーションの中で生まれるものです。聞き手が話の内容を理解して初めて、笑いが起こるのです。

自分の好きなように、思いつくままに喋っている限りは、相手を笑わせることはできません。聞き手の立場に立って、聞き手が理解しやすい話の構成を心掛けましょう。

ちなみに、先に挙げたふえるわかめスープの例文は、実話です。

話し方の５つのポイント

普段、皆さんは人と話すとき、どんな話し方をしていますか？

表情は？　声は？　しぐさは？

会話の内容や話題によって、また、相手によっても違ってくると思いますが、次の５つを意識すると、笑いが取りやすくなります。

①表情
②声
③抑揚
④しぐさ
⑤間

では、具体的にどのようにすればよいのか、見ていきましょう。

〔表情〕話の内容と表情にギャップをつける

笑顔が素敵な人には好印象を抱きますよね。一般的には、人と話すときは笑顔がよいとされています。

でも、笑わせたいときや、「すべらない話」を披露するときは、笑顔は封印。

話の内容とギャップをつけるように、無表情や、なんなら苦痛な表情で喋ってみてください。先述した、「緊張と緩和」や「裏切り」の笑いの効果が働くからです。

意図的に人を笑わせたいときに、最もやってはいけないのが、自分で喋りながら笑ってしまうこと。

笑いながら喋ると言葉が聞き取りづらく、相手に伝わりにくくなります。それに、1人で笑っている話し手を見ると、聞き手はどんどん冷めた気分になってしまいます。

笑ってしまいそうになったら、深呼吸して一息おいて、それから真顔で話し始めましょう。

〔声〕大きめの声で淡々と話す

人を笑わせようとすると、どうしても焦ってしまい、早口になったり、滑舌が悪くなったりしてしまいがちです。

でも、笑わせたいからこそ、大きめの声で、ハッキリと、そしてゆっくり喋りましょう。あくまで冷静に、淡々とした口調で話すことが大切です。

相手が聞き取れずに笑いが逃げたら、もったいないですからね。

そして、オチの部分は特に声を張って、自信を持って言い切ってください。オチが小さな声だったり、焦って噛んでしまったりすると最悪です。

私は吉本興業時代に、ある落語家さんから「舞台に出たら、一言どころか、一文字一文字を大切に、丁寧に喋るように」とアドバイスされたことがありました。今でも舞台の上ではそれを意識して喋るようにしています。

〔抑揚〕声の強弱や話すスピードにメリハリをつける

抑揚とは、話すときの声の大きさや高さ、言葉の調子の上げ下げ、イントネーションのことをいいます。

メリハリのある話し方は、聞き手の興味を引きつける上で、とても大切です。話し方が一本調子だったり、棒読みだったりすると、聞き手は飽きてしまいます。すると、どんなに面白い内容でもつまらなく感じてしまい、内容が頭に入ってこなくなります。

そこで、声の強弱や高低、話すスピードを意識し、抑揚をつけて話をしてみてください。

突然大きな声を出したり、逆に急に小さな声でゆっくり話したりすると、聞き手も「おやっ?」と引きつけられるでしょう。

〔しぐさ〕言葉を補い、臨場感を伝える

しぐさやジェスチャーは、喋るときに欠かすことのできない大切な要素です。

第2章でも述べたとおり、五感の中でも情報を最も多く得られるとされているのが視覚です。言葉（聴覚）だけでなく、しぐさやジェスチャーをつけて視覚にも訴えることで、より笑わせやすくなります。

しぐさやジェスチャーがあると、話に臨場感が生まれます。話だけでは想像しづらいもの、例えば「大きさ」などは、「こんなに大きい」などと手で大きさを示すと効果的です。

ただし、話の内容と関係ない動きは逆効果。動きに気をとられて、聞き手は話に集中できなくなってしまうからです。

しぐさを上手に取り入れて、聞き手の関心を逸らすことなく話を進めてください。

〔間〕オチの前には一拍置く

「間」は本当に大事な要素です。「間」こそが、素人とプロを分ける大きな違いといってもいいでしょう。

「間」を設けるポイントは、起承転結の「結」の前、笑いの3原則であれば「オチ」の前に、必ず一呼吸入れることです。

そして、「結」や「オチ」の後もすぐに話し始めず、「間」を入れて〝笑い待ち〟をすると、笑いが取りやすくなります。

ついやりがちなのが、早く「オチ」を言いたくて、焦って喋ってしまうこと。「間」を空けなかったために、笑いが逃げてしまうパターンです。

「オチ」を早く言いたい気持ちはわかりますが、ここは我慢。ためにためて、「間」を十分に取ってから、「オチ」をゆっくり、ハッキリ、言うようにしましょう。

自分がどのような話し方をしているのかは、意外と自分ではわからないものです。

自分が喋っている姿をスマホで動画撮影したり、録音したりして、聞き手の立場で確認してみることをオススメします。

自分では抑揚をつけているつもりでも、まだまだメリハリに欠けていることもあります。ゆっくり喋っているつもりなのに、思いのほか早口で聞き取れないこともあるかもしれません。

「えー」、「あのー」などの無意識の口癖が耳障りに思えることもあれば、手持無沙汰に手を動かしたり、体がフラフラと揺れたりするのが気になって仕方がないこともあります。

また、「間」の取り方が不十分だったり、長すぎて間延びしていたりすることに気づけたら、しめたもの。改善点がわかれば上達のスピードも上がります。

自分の話を客観的に聞いてみることで「プロのお笑い芸人とは、なんだか違うな」と感じたら、どこがどう違うのか、１つずつ検証してみてもいいかもしれません。

以上、この章では、人の心をつかみ、人を笑わせるテクニックについてお伝えしました。

いきなり全部をマスターする必要はありません。１つずつトライアンドエラーで体得していくようにしてください。

笑いの技術は「習うより慣れよ」。頭に詰め込むのではなく、体で覚えるのが1番です。そのうちに、意識しなくても自然に笑いが取れるようになるでしょう。

何度か繰り返すうちに自信がついてきたら、素人でも参加できるショーレースに出てみるのも1つの手です。「R-1グランプリ」や「M-1グランプリ」はアマチュアでも応募できます。

ぜひ、自分の笑いのスキルが全国でどれくらい通用するのか、腕試ししてみてください。

第4章

さまざまなシチュエーションで使える笑いの取り方

1 人を笑わせてよいとき・悪いとき

「空気」を読まなければ大惨事に

例えば、同僚や友人などと会話をしているとき、何かのはずみで険悪なムードになることって、ありますよね。

そんなとき、ちょっとした笑いによって、その場が明るく、和やかな方向に一変した――なんて経験はありませんか？　これは笑いがその場の雰囲気を好転させた良い例です。

逆に、場を和ませようとしたのに、笑いが雰囲気をさらに悪くしてしまうこともあります。

この差はどこからくるのでしょうか。

それは「空気」です。

同じように思われる場でも、ウケるときとウケないときが存在するのは、「空気」を読めているか、読めていないかが、大きく関係しています。

想像してみてください。お葬式などのお悔やみの場、お客様からクレームを受けているとき、上司に怒られているとき、謝罪会見、トラブルへの緊急対策会議……。こうした厳粛なシーンで、その場の雰囲気を良くしようと笑いを取りにいくと、どうなるでしょうか。

笑わせようとすればするほど、顰蹙（ひんしゅく）をかいそうです。空気の読めない人、非常識な人というレッテルを貼られてしまうでしょう。

そう、空気の読めている笑いは「明朗」、空気の読めていない笑いは、ただの「悪ふざけ」。子どもならまだしも、大人がこれをやると、誰からも相手にされなくなります。

人を笑わせたいと思う気持ちは、素晴らしいことです。でも、私たちの日常には、人を笑わせてよいときと、悪いときが存在します。笑わせてよい空気なのかどうかをしっかり見極める。まずはここからです。

ウケれば天国、スベれば地獄！

私がお笑い芸人になってから18年の月日が経ちました。

どんな職業でも、その道のプロになるためには10年かかるといわれていますが、私もこの道に入って18年間、「〝笑い〟とは何か」「〝面白い〟とは何か」をずっと追求し続けてきました。

人を笑わせるため、人を笑顔にするために、いろいろと勉強をしました。生の舞台はもちろん、テレビやYouTubeなどでも、お笑い芸人さんのネタを数千本は見てきたと思います。

一時期は「人はなぜ笑うのだろう？」、「人は何を面白いと感じるのだろう？」と疑問に思い、心理学まで勉強したことがあります。

それだけ「笑い」というものにすべてを賭けてきました。24時間、人を笑わせることばかり考えながら生きてきたのです。

しかし、それでも舞台に出ると、スベることがあります。

どんなに時間とお金（言うほどかけてない）、持ちうるすべての力をかけて作ったネタでも、ウケないときがあります。

ネタは、自分の芸術作品といっても過言ではありません。そしてそれは、人の「笑い」によってすぐに評価されます。

ネタがウケたときは、１日が明るく、元気に幸せな気分で過ごせます。

でも、スベったときは、テンションが上がらず、体にチカラが入らず、１日が暗く、何をやっても楽しくない。何を食べてもおいしく感じず、綺麗な女性と会ってもときめかない（笑）。

そう、お笑い芸人はウケれば天国、スベれば地獄なのです。

だけど不思議なことに、同じネタでも、めちゃくちゃウケるときと、スベるときがあります。

これは、会場の「空気」によるところが大きいのです。

場の空気が重かったり、お客様の層に合っていないネタだったり、自分自身の心のあり方だったり……、いろいろな原因が考えられます。

つまり、こちらがいくら面白いネタを披露しても、相手と自分の条件やコンディションがそろってないと、人は簡単には笑ってくれません。

それだけ、人を「笑わせる」という行為は大変で難しいものです。

でも、逆にいえば、奥深くて楽しい！

だからこそ、私はこの「お笑い芸人」という仕事が大好きで、18年も続けてこられたのかもしれません。

では、どんな点に注意を払えば、地獄行きを回避することができるでしょうか。

ここからは、シチュエーションごとの笑いの取り方について、お伝えしていきましょう。

シーン別に考える笑いの取り方

挨拶・スピーチ

まずは、ビジネスシーンでもよくある挨拶やスピーチでの笑いの取り方を考えましょう。

挨拶やスピーチでは、なんといっても「ツカミ」が大事。ツカミで「笑える空気」をつくりだすことが大切です。

挨拶やスピーチにおけるツカミとは、最初のひと言に当たります。最初のひと言で、聞き手の聞き方、構え方がガラッと変わるからです。

例えば、社長や先生といった、それなりの立場の人が壇上に上がると、聞き手は「きっとマジメで堅い話をするんだろうな」と勝手に予想をします。

ところが、話し手がひと言目に面白いことを言ったら、どうでしょう。聞き手は「えっ!?」と驚き、思わず笑ってしまいます。前章で述べた「緊張と緩和」と「裏切り」の効果が働くわけです。

そして、最初の笑いで聞き手の心をがっちりつかめば、スピーチそのものにも興味を持って聞いてもらえるでしょう。

挨拶やスピーチのツカミには、例えばこんなものが考えられます。

「ただ今ご紹介にあずかりました、トム・クルーズです」

「トム・クルーズ」は、ジョニー・デップなどのほかの海外スターでも構わないし、旬のイケメン俳優、売れっ子アイドルでもいいでしょう。とにかく、自分のキャラに合った人を選びます。

以前、私が笑いの指導をさせていただいた社長さんは、壇上に立ち、開口一番、こんなふうに挨拶したそうです。

「こんにちは。ブルース・ウィリスです」

会場は「えっ!?」と戸惑った雰囲気になり、すぐに笑いが起きません。そこで間を置くことなく、「まあ、似てるのはヘアースタイルだけですが……」と続けた途端、大爆笑に変わったそうです。

ツカミでウケれば、こっちのもの。あとは何を言っても笑いが起きるし、話もしっかり聞いてもらえるようになります。

先の社長さんの場合、話し終わった瞬間、大拍手が起きたそうです。そのときの状況を、本当に嬉しそうに語るお顔が思い返されます。

ただ、こうしたフレーズを口にしたとき、あまりにも唐突すぎて、聞き手がついてこれず、スベってしまう場合もあります。

でも、大丈夫。スベった後の「リカバリートーク」で挽回する方法があります。例に挙げた社長さんの一連のツカミも、「リカバリートーク」を使った好例といっていいでしょう。

また、この成功事例にはもう1つ、人を笑わせるノウハウが入っています。それは、

「ブルース・ウィリスです」が「フリ」となり、リカバリートークである「似てるのはヘアースタイルだけですが」という自虐ネタが「オチ」になっていることです。

　このように、さまざまノウハウを使い、かつ聞き手と話し手の条件がそろうと、人は笑ってくれます。

　ただ、挨拶やスピーチには必ず主題がありますから、聞き手を笑わせることばかりに固執せず、メインテーマの話もちゃんとしてくださいね。

会議・ミーティング

　仕事の会議やミーティングなどは、笑いとは無縁に思えるでしょう。笑いながら打ち合わせをすることなんてほとんどなく、たいていは、真剣な顔をして、緊張感を漂わせながら話し合いをします。

　でも、そんな時だからこそ、1つの笑いが「空気」を変えて、その場の雰囲気を良くすることだってあるのです。

　昔、私がサラリーマンをやっていたころ、かなり重い空気の営業会議が行われたことがありました。どの営業所も成績不振。その対策会議だったのです。絶対に上司から叱責されます（汗）。

そんな重苦しい空気の中で、笑いなんか取ろうものなら、絶対に上司から叱責されます（汗）。

私が発表する順番になったので、自分のチームの営業成績が悪い理由を、一生懸命、言い訳がましく説明します。

続いて、私の言い訳を聞いた上司から、鋭い質問が飛んできました。

思わず動揺したのでしょう。私は上司の名前を間違え、「お父さん」と呼んでしまったのです。

上司もビックリしたのか、「私は君を産んだ覚えはないぞ！」と返してきたので、すかさず「お父さんは子どもを産めないです」と応酬するという、全く打ち合わせにない奇跡の漫才が成立！

すると、それまでの重苦しい空気が一変。大爆笑に包まれ、和気あいあいとした雰囲気に変わりました。その後の話し合いもスムーズに進むようになりました。

もちろん、このケースは意図的に笑わせようとしたものではありません。偶然にも条件がそろった結果です。

緊張する場で面白いことを言う「緊張と緩和」の効果。さらに、上司が口にした意外性のある言葉が「裏切り」を生み出し、相乗効果で大きな笑いになりました。

ビジネスの会議やミーティングなどで意図的に笑わせようとするのは、確かにリスクがあります。その場の空気によっては、大惨事を招くこともあるでしょう。

でも、偶然の笑いを生み出すのは「あり」ではないでしょうか。狙って取りにいく笑いではなく、自然な流れに乗った笑い。誰かがたまたま発した言葉を上手に打ち返すような笑いです。

無理に笑いを起こす必要はありませんが、会議の参加者の何気ないひと言にも、笑いの種が見つかるかもしれませんね。

オンライン・ミーティング

リモートワークの普及により、Zoomなどを使ったオンライン・ミーティングが頻繁に行われるようになりました。

そこでも笑いを取ろうとするストイックな人、私は好きです（笑）。

では、オンライン・ミーティングなどで笑いを取るには、どうしたらよいのでしょうか？　それはズバリ、画面・画像のビジュアルで笑わせること。この1点に尽きます。

そう、オンライン・ミーティングでは、言葉だけで笑わせるのではなく、視覚に訴えられる特性を最大限に活用して笑わせるようにします。

例えば、音声ＯＦＦのミュート状態で、めちゃくちゃ熱弁を振るっている人、いませんか？　こちらには一切音声が聞こえていないのに……。

音声ミュートで一生懸命話す姿は、なんだか笑ってしまいます。話し手が真面目キャラの方だと、なおさら面白く感じますよね。

これはオンラインあるある。「共感」の笑いになり得ます。

大袈裟なジェスチャーをしながら、熱く喋っている途中で、ミュートに気づいて、また同じテンションで最初から話し直そうとする――そんなモノマネを、ミュートをせずにやってみるのも1つの手です。

また、画面オフの状態からオンに変わったときに、ペットやぬいぐるみのアップをいきなり出す。これは和みの笑いを生みます。

ドン・キホーテなどで売っている被りものを使って、笑いを取るのもいいかもしれません。

私は、ハロウィンのときに売っていた、矢が頭に刺さっているように見える被りものを100均で購入しました。そして、それを着けてオンライン・ミーティングに参加し、真面目な顔して「いやー、今日なんか知んないけど、朝から頭痛がするんですよね……」と言うと、参加者全員が笑いながら「矢が刺さってますよ！」とツッコんでくれました（笑）。

また、私がよくやるのは、名前を変えて笑いを取る方法です。

Zoomなどでは、自分の名前をその都度変えることができます。そこで、自分とは似ても似つかないアイドルの名前や、ハリウッドスターの名前、最近見なくなった懐かしい芸能人の名前などに変えて参加するのです。

さらに、背景画像などに数字を入れて参加することもあります。すると、たいていの人は「それは何の数字ですか？」と尋ねてきますので、「今朝測った体重（体温）です」、「私の最高（最低）血圧です」などと返すのです。

以前、尿酸値の数字を載せて笑いを取ったこともありました（笑）。

数字のほか、「痩せたい」とか「彼女募集中」とか、今の心境を入れたりすると、簡単なことですが、意外とウケます。

このように、オンライン・ミーティングはアイデア次第で、無限に笑わせることができる最強の場です。皆さんもオンランの特性を生かし、画面・画像を使った自分だけのオリジナルのネタを考えてみてください。

ただし、繰り返しとなりますが、トラブル対処、クレーム対応など、緊張感を持って臨まなければならないようなミーティングのときは、やめておきましょう。ただスベるだけでなく、参加メンバーから顰蹙をかうのが目に見えています。

例えば定例の打ち合わせや企画会議など、ちょっと雰囲気を和ませたい、というときに挑戦してみてください。

商談・プレゼン

第2章でもお伝えしたように、ビジネスシーンで笑いを取ると、好感を持たれ、商談やプレゼンも成約率が上がります。

さて、商談に入る前、初めてお会いする方とは必ず「あること」を行いますよね。そう、それは名刺交換です。

その名刺交換のときこそ、笑いを取るチャンス。というのも、ここで相手を笑わせることで、お互いの緊張感が和らぐからです。

私が現在使っている名刺は、どこからどう見ても「運転免許証」です（下図参照）。運転免許証のデザインの中に、私の写真と電話番号、メールアドレスなどが載っています。これは自分でデザインして、印刷屋さんに頼んで特注で作ってもらった物です。

そして、初対面の方と名刺交換するときは、必ずこう言いながら、名刺を渡すようにしています。

芸名　やせ騎士（やせないと）　職業：お笑い芸人
肩書　日本ダイエット健康協会 認定 ダイエットインストラクター
講演家・セミナー講師・ボクシングトレーナー
優良芸人 令和53年10月10日まで有効
免許の条件等　優良
090 -XXXX-XXXX
××××× @ ×××××.co.jp
以前は吉本興業で魔界岩棲（マカイロックス）という芸人でした♪
エンタの神様出演時の動画(15秒)
叫べ！ヘヴィメタ王子
魔界岩棲 ©NTV
番号　二・小・原　他　二種
種類　大型　中型　普通　原付　け引　大二
運転免許証

「すみません。名刺を切らしておりまして、代わりに私の免許証を受け取ってください」

相手は本物の免許証と勘違いして、一瞬驚きます。が、すぐに名刺と気づき、必ず笑顔になります。そして、この名刺の話題で少しだけ盛り上がります。

これが、これまでに何度も出てきた「ツカミ」。こんな感じで相手の心を軽くつかむわけです。

第一印象は大事です。商談やプレゼンの前に、このように軽く笑いを取っておくだけでも、相手との距離は確実に縮まり、好感を持たれるようになります。

皆さんも、会社の名刺とは別に、相手が笑顔になるような面白い名刺を作ってみませんか。

接客・応接

本書をお読みくださっている皆さんの中には、店頭で接客の仕事をされている方もいらっしゃると思います。
まず、お客様が来店して、カウンターの椅子などに腰掛けたら、こう言ってみてください。

「どうぞ、立ち話もなんですから、お掛けください」

もちろん、この段階ではお客様はすでに座っています。続けて、本当に間違えたフリをして、次のように言うのです。

「あっ！　座ってましたね？」

ベタなボケですが、相手をクスリと笑わせる効果があります。
また、大阪のおばちゃんが200円のお釣りを渡すときに、「はい、お釣り200万円！」とドヤ顔で言うボケは、皆さんもよくご存じだと思います。
この誰もが知っている「常識的なボケ」に対して、「裏切り」を加えて、「はい、お釣り２００ペソ！」と言ってみるのです。すると、お客様は「どこの国の通貨だよ？」と思いながら、思わず笑ってしまうはずです。

ペソは、メキシコやフィリピンなどで使われる通貨の単位です。でも、もしここに「ドル」を持ってきたとしたらどうなるでしょう？　メジャーすぎて、あまり笑いが起きないと思います。つまり、「裏切り」感が少ないのです。

また、「２００ドル」は、なんだか聞こえ方がカッコいいと思いませんか？　カッコいいものに対して、笑いは起きにくいものです。

誰もが知っている通貨単位だけど、メジャーではない――そんなものが狙いめです。中国の元、韓国のウォン、タイのバーツ、イギリスのポンドなどのほか、すでに廃止になってしまったフランスのフラン、イタリアのリラなども使えます。

また、私は学生時代、短期間ですが、お寿司屋さんでアルバイトをしたことがありました。お寿司を握るのはもちろん板前さんですが、私もカウンター内に入って、板前さんの横でお手伝いをしていました。

ある時、常連さんが美しい女性を連れて入店されました。その女性は、いつも常連さんと一緒に来る彼女さんではありません。

その常連さんが「大将、適当に握ってください」と言ったため、すかさず「僕はお寿司は握れませんが、○○さんの弱みは握りました」と返すと、その場は大爆笑。

このように、来店されたお客様を笑わせる方法は無限にあります。特に、お寿司屋さんの例で挙げたように、その業種・業界でよく使われる言葉を口にしてボケると、ウケやすくなります。

ただし、相手はお客様。しっかりと「空気」を読んでおかないと、クレームにつながるおそれもありますから、くれぐれもご注意ください。

セミナー・講演

現在、私は「お笑い芸人」「ダイエットインストラクター芸人」「お笑いセミナー講師」「お笑い講演家」という肩書きで活動しており、クライアントさんの要望に応じて内容を変え、それぞれのニーズに合ったネタを披露しています。

そんな私のところに、「講演やセミナーで笑いを取りたい」とご相談くださる方が、たくさんいらっしゃいます。

一般的に、セミナー講師や講演家の方のことを、聞き手は「先生」として見ています。実は、これが笑いを取りにくくする大きな要因です。

皆さんの学生時代、授業中に先生が面白いことを口にしたときのことを思い出してください。皆さんはそれで笑いましたか？　面白いと思いましたか？

おそらく、首を横に振るのではないでしょうか。

絶対とは言わないまでも、生徒は「先生」という立場の人のことを笑いません。笑いにくいのです。特に嫌いな先生の場合、「笑ってたまるか！」となるでしょう。

もちろん、本当に面白い先生は存在しますし、先生が生徒を意図的に笑わせようとしなくても、偶然、笑いが起きることもあります。

私が高校時代に、めちゃめちゃ真面目キャラの化学の先生がいました。ある日、その先生が教室の廊下側の扉からではなく、ベランダ側の扉（窓）から入ってきたことがありました。

それを目の当たりにしたクラスメイトたちは「いやっ！　どっから入って来てんねん！」と、大爆笑！　授業が始まる前の「緊張と緩和」の効果、そして真面目キャラの先生が「裏切り」、「非常識」のあるボケを真面目な顔で淡々と行ったからです。

話を戻しましょう。セミナーや講演では、聞き手であるお客様の求めているものは、笑いではなく学びです。勉強をしに来ているのです。

そのため、セミナー講師や講演家のことは、自分の知りたいことを教えてくれる「先生」として見ています。

私の場合は、「お笑い芸人」という肩書から、「笑わせてくれるだろう」という前提で見てくださっているので、セミナーや講演会でもたくさん笑ってくださいます。でも、一般的に「先生」が聞き手を笑わせるのは、聞き手の心理的な壁もあり、なかなか難しいのです。

だからといって、笑わせる方法がないわけではありません。1つは、自己紹介。先述したとおり、有名芸能人やハリウッドスターの名前を使ってボケてみるのもいいでしょう。

また、私が実際に笑いを取った例をご紹介しましょう。

「見た目でお気づきの方もいらっしゃると思いますが、わたくし、切れ痔なんです」

「お尻を見ないと、見た目だけで切れ痔かどうかなんてわからないから！」というボケです。ほかには、こんなものもあります。

「私は昔、超イケメンでした。中学の頃なんか、後輩が勝手にジャニーズ事務所に私の履歴書を送ったこともあるくらいなんです。でも……（ここでしっかり間を空けて）、まだ返事が来ないんですけどね……」

これらは「ツカミ」です。冒頭で笑いを取ると、その後はお客様が勝手に笑う「空気」を作ってくれるというわけです。

また、セミナーや講演の最中に、こちらから何か質問を投げかけて、お客様に手を挙げてもらうことがあります。すると、必ずといっていいほど、手を挙げない人がいるものです。そういう人に向かって、こう言うのです。

「あれ？　手を挙げない人がいますけど……。なんなの？　反抗期？」

これ、鉄板です（笑）。

笑いを取る方法はいろいろありますが、セミナーなどでは、真面目なことを言った直後にボケる「緊張と緩和」の技が使いやすいです。

また、簡単に笑いを取りたいなら、自虐ネタもオススメ。失敗談や恥ずかしい体験談は、「先生」という立場の人が言うと、余計に面白く感じるからです。

また、ワードセンスにはくれぐれも気をつけて。旬を過ぎた言葉や古臭い言い回しを使うと、ただのおやじギャグになってしまいます。

さて、先述した、私の高校時代の化学の先生。なぜベランダ側の扉から入ったのか、気になりませんか？

それは、授業の前に大掃除が行われ、廊下がワックスでツルツルだったため、先生は教室に来るまでに2回コケたらしいのです。だから、もう滑らないようにベランダ側から来たとのこと。理由も面白いですよね（笑）。

飲み会

忘年会、新年会、歓送迎会など、仕事絡みの飲み会はたくさんありますよね。

飲み会の場で笑いを取るのは、そんなに難しくありません。理由はいたってシンプル。お酒の入った無礼講な雰囲気の中なので、自分も周りもリラックスしており、笑いが取りやすいからです。

そう、前述した会議やミーティングのときとは打って変わって、笑いやすい「空気」ができあがっているのです。

ただ、お酒が入って笑いやすい雰囲気になったからといっても、つまらないものはつまらないですし、おやじギャグを言うと、部下や後輩の爽やかな苦笑いを見ることになります（汗）。

では、飲み会で笑いを取る場合、どういうネタが好ましいかというと、ズバリ、内輪ネタです。内輪ネタはすべて、「共感」の笑いを引き起こすからです。

内輪ネタの１つの例が、業界用語。皆さんが身を置く業界用語を使った言葉を口にして、笑いを取るのです。

ここで求められるのは、「ワードセンス」です。業界独自の用語、その業界だけで日常的に使っている言葉を、ちょっとヒネって口にするだけでも面白くなります。

例えば、塗装業の方が酔っ払って「俺の顔に泥を塗る気か？」とすごんできたら、「そこはペンキだろ！」と言い返す、といった感じです。

先日、こんなことがありました。私が友人と飲んでいる横に、タクシーの運転手をされている方がいらっしゃいました。この方のワードセンスが素晴らしかったのです。

愛を深めようと奥様に夜の生活を求めたところ、断られてしまった。それを「乗車拒否された」と表現したかと思うと、「性欲にブレーキがかからなかった」とか、「悩みが相談できるような、どこかに人生の道案内をしてくれるナビ、売ってないかなあ？　そんなナビがあったら『割増料金』を払うよ！」などなど。これは、ワードセンスの達人といってもいいでしょう。

また、内輪ネタの王道といえば、なんといっても上司や先輩のモノマネ。日頃から、上司や先輩が普段よく口にする言葉やしぐさを観察し、それを完コピして飲み会で披露すると、手っ取り早く笑いにつながります。

でも、いくら飲み会とはいえ、上司や先輩に対して失礼なモノマネはＮＧです。お酒の力で調子に乗り過ぎて、人に不快な思いをさせる言動はくれぐれも慎んでください。

お酒を飲むと本音が出ます。それが原因で左遷された人を、私は何人か知っています（笑）。他人を笑わせようとして自分が泣く羽目になったら、本末転倒ですからね。

異性との会話

私はこれまでに、２００件以上の婚活パーティーの司会をしてきました。

婚活パーティーは、参加者の皆さんがかなり緊張しているため、ギスギスした雰囲気になりがちです。緊張を解き、場を明るく盛り上げるために、私のようなお笑い芸人が司会に呼ばれるのです。

実際、私が笑いを交えながら司会をすると、初めのうちは緊張している参加者の方々が、徐々に緊張がほぐれ、和やかな雰囲気になっていきます。

それに伴い、参加者同士でよく喋るようになり、カップルが生まれやすくなる……というわけです（笑）。

では、男性の皆さんに質問です！　こうした婚活パーティーや合コンなどでは、どんな男性がモテると思いますか？

容姿？　年収？　いろいろな要素が考えられますが、ズバリ、明るくて面白い人です。そう、婚活パーティーでも合コンでも、面白い人がモテるのです。

では、どうやって笑いを取ればいいのでしょう。それは、ほかの参加者と差をつけること。この1点に尽きます。

そのためには先手必勝で、自己紹介のときに笑いを取ることが大切になってきます。つまり、「ツカミ」が大事だということです。

「面白い人だな」と思われれば、相手に好感を持ってもらうことができ、ライバルより一歩リード。断然有利になります。

私も若い頃は、合コンばかりやっていました。私は身長が１８０センチあり、体が大きいので、その特徴を生かして「西武の二軍でピッチャーやってます」と言うこともあれば、ありえない仕事をヒントに「ベルトコンベアで流れてくる肉まんの先っちょをねじる仕事してます」とか、「彼女いない歴30分です。ここに来る前にフラれたばかりなので……」などと言っては、自己紹介で笑いを取っていました。

つまり、婚活パーティーや合コンなどは、第一印象が勝負。それくらいの気持ちで、笑いを取りにいってほしいのです。

そして会話をするときは、「褒めすぎ話法」を奨励（笑）。これは、褒めすぎて、笑いを取るものです。人間、褒められて嬉しくない人はいません。褒めすぎるとイヤミに聞こえるかもしれませんが、これが不思議に笑いになるのです。

また、女性にとって、体型（体重）や年齢は大変デリケートな話題です。男性には聞かれたくないし、話したくありません。ですから、そこは笑いに変えてしまいましょう。

例えば、ぽっちゃり型の女性が「私、太ってるから」と口にしたら、「いや、そんなことないですよ！　○○さん、ガリガリじゃないですか？」と返す。

また、「私はもうおばちゃんだから……」と言うのなら、「○○さん、全然若いですよ！　平成何年生まれでしたっけ？　ゆとり世代ですよね？」「あっ、ごめんなさい。令和生まれでしたっけ？」と返すのです。

また、お酒を飲んでいる女性に、「あれ？　お酒を飲んでいい歳でしたっけ？」と白々しく尋ねることもあります。

いずれも「なに言ってんのよ！」と相手は思いますが、決して悪い気はしません。むしろ、たいていの女性は笑ってくれます。

ただし、どんなに面白くても、女性に失礼な発言をするのは絶対ＮＧ。また、清潔感のない人、食べ方や飲み方が汚い人もモテませんので、笑いだけでなく、そちらのご配慮も忘れずに！

続いて、今度は女性の皆さんに質問しましょう。同じく婚活パーティーや合コンなどで、どんな女性がモテると思いますか？

容姿はもちろん大事ですし、聞き上手、褒め上手の人も好感を持たれます。でも、何よりも、笑顔が素敵な女性、よく笑う女性に男性は惹かれます。「愛嬌」と表現することもできるかもしれません。

つまり、男性の皆さんは女性をたくさん笑わせてモテる。そして、女性の皆さんはたくさん笑ってモテる。「笑顔に勝る化粧なし」現象が起きるでしょう。

第5章

「すべらない話」の作り方極意

1 笑いのネタは日常のあらゆるところに存在する

とにかく「量」にこだわる

ここまで、「人はどんなときに笑うのか」「どうやって笑わせるのか」について、具体的なノウハウやフレーズなどを紹介してきました。

本章では、人を笑わせるネタの探し方や生かし方のコツについてお伝えしたいと思います。

ひと口に「ネタ」といっても、「すべらない話」をゼロから作るのは大変な作業です。プロとして、日々、ネタを作り続けなければならない私たちお笑い芸人は、どのようにしているのでしょうか。

ネタを考える際のポイントは、次の2点です。

・とにかく「量」にこだわる
・思いついたらすぐにメモを取る

大事なことは、できるだけたくさんのネタを作ること。「量」からでしか、「質」は生まれないからです。


ネタ作りとして私がオススメしたいのは、「一人大喜利(おおぎり)」。

大喜利とは、寄席の最後の余興として行われる演芸形式のことです。今は主に、テレビ番組「笑点」の影響もあり、ある「お題」に対して、即座にひねりの利いた回答をして、面白さを競う遊びを指します。

例えば、1人でランチを食べているときにも、「こんな店員は嫌だ」とか、「こんなカレーは嫌だ」といったテーマを自分で設定して、あれこれ答えを考えてみるのです。ワードセンスだけでなく、瞬発性も磨かれます。

ただし苦労して作ったネタがウケるという保証はありません。人は、育ってきた環境も、感性も、趣味も、嗜好も違うからです。

例えば、ラーメンが好きな人もいれば、そうでない人もいますよね。そして、ラーメン好きの中にも、醤油ラーメンを好む人もいれば、塩ラーメンが好きな人、味噌ラーメン以外は受け付けない人などもいます。さらに細かくいえば、同じ醤油ラーメンでも、あっさり味を好む人もいれば、こってり味が好みの人もいます。

「笑いのツボ」も、これと同じ。「面白い」と感じるものは十人十色、人それぞれ異なります。「万人ウケするネタ」というものはありません。

セミナーや講演会のように、不特定多数の人を相手に笑いを取るのであれば、「できるだけ多くの人を笑わせる」という最大公約数を狙うのがよいでしょう。

一方、職場のミーティングのような内輪のコミュニケーションであれば、特定の誰かの「笑いのツボ」を狙い撃ちすることもできます。

場や相手に合わせた笑いを求めて試行錯誤するためには、「量」が必要です。いつ、どのように使えるかわからなくても、普段からネタになりそうなものは、逃さずメモに残しておいてください。

そうしてためておいたメモは、きっと皆さんの力になってくれるはずです。

メモを取る習慣をつける

「量」をこなすにはメモが必須です。それは、人間の記憶は曖昧で、すぐに忘れてしまうからです。

すごく面白いアイデアを思いついても、「後でメモすればいいや……」と放っておくと、いざメモを取ろうとしたときに、「さっき思いついたアイデアって、何だっけ？」と忘れてしまっていることも、しばしば。メモを後回しにしたことを、ものすごく後悔することになります。

そうならないためにも、メモを取る習慣を、自分の中で作っていただきたいのです。

私はこれまで、たくさんの成功者やお金持ちと接する機会に恵まれました。彼らに共通するのが、本当に「メモ魔が多い」ということです。

ビジネスで成功した方やお金持ちは、ひらめいたアイデアや大事なことは、すぐにメモを取っています。

私たちお笑い芸人も、みんなメモ魔です。運転中にいいネタを思いついたときは、車を路肩に停めてメモを取ることもあります。

そうやって普段からアンテナを張りめぐらせ、気づきやアイデアをメモに残し、ネタをためる——これがお笑い芸人の日常です。

だから、皆さんも、ネタがひらめいたら、すぐにメモ。

これは大事だと判断したことは、すぐにメモ。

これを習慣にしてください。

「習慣が変われば人生が変わる」と、よくいわれています。「こまめにメモを取る習慣」が笑いを生み出し、皆さんの人生を変えるかもしれません。

笑いは「ワードセンス」で決まる

おじさんたちがよく使う言葉を観察すると……

人を笑わせるときに1番大事といっても過言ではない「ワードセンス」についてお話ししましょう。

おやじギャグが若い人にウケない理由は、古臭いワードセンスにあると先述しました。

もちろん、ジェネレーションギャップなども関係しているでしょう。でも、最大の要因は、言葉の使い方にあります。

おやじギャグや、おじさんたちがよく口にする言葉を観察すると、古い言葉、死語、下ネタ、寒いダジャレのオンパレード。これでは、人は、特に若者は笑ってくれません。

では、おじさんたちが笑いを取るには、どうすればよいのでしょう。

それは、巷(ちまた)で流行っている言葉、話題になっている言葉などに対して、普段からアンテナを張っておくことです。そして、こまめにメモを取り、集めておいてください。

そうした言葉を上手に使って、面白い話ができるようになれば、おやじギャグは卒業です。

ワードセンスはどう磨く？

ワードセンスは生まれつきのものではありません。自分で意識することによって、磨くことができるものです。

普段からネット、テレビ、ラジオ、新聞、雑誌、電車の中刷り広告などからトレンドな言葉、「言い回しがオシャレだなあ」と思った表現などをキャッチしたら、メモを取ることから始めてみてください。

また、短い文字数の中で意図を伝える短歌や川柳は、センスのよいワードであふれています。

特に、「サラリーマン川柳」や「シルバー川柳」などは、あるあるネタの宝庫。とても参考になります。

大事なのは、後回しにせず、その場ですぐにメモを取ること。自分で思っている以上に、人間の記憶は曖昧ですからね。

もちろん、紙のメモではなく、スマホやタブレットのメモ機能を使ったり、写真などの画像で記録として残しても構いません。

とにかく、こうして集めた「ワード（Word）」が、皆さんの「言葉の財産」となってくれるのです。

私はもちろんのこと、お笑い芸人が必ず持ち歩いているネタ帳が、これに当たります。

私が芸歴18年間で貯めたネタ帳に記載されているネタやワード数は、現時点で1万2000個あります。このネタ帳は、私の財産であり、芸人としての私の命です。

では、具体的にセンスのいい「ワード」とは、どのようなものなのでしょうか。私が個人的に「センスがいいなあ」と思った例を、いくつか紹介しておきます。

同じことを少し経ってからまた言われたとき

↓

「スヌーズ機能か？」

全力でギャグをやったのにスベったとき

↓

フルスイングで空振りした

全くウケなかったとき

↓

笑いの戦力外通告

スベって孤独を感じたとき

↓

過疎ってる

台詞を噛んだり、飛んだり、グタグタになったとき

↓

研修期間のバイトか？（オープニングスタッフか？）

前説で「カメラ禁止」を伝えるとき
↓ **スケッチかデッサンでお願いします**

顔が不細工と自覚してる人
↓ **顔面迷走中です**

大トリの先輩芸人や、（会社の場合）社長や会長のこと
↓ **ラスボス**

スベった後に、さらにスベったとき
↓ **副作用出た……**

ショックなことを言われたら
↓ **今、玉が貫通しました**

歯に着せぬ発言で、何のひねりも感じられないストレートな意見に対して

↓ **まるごとバナナか？**

ドックカフェで犬同士が仲良くなり、戯れたとき

↓ **犬のオフ会**

夏、蚊に刺されまくったときの蚊に対して

↓ **血のドリンクバーか？**

ほかにも、まだまだたくさんありますが、ここで挙げた例のように、「この言葉は面白い！」「センスあるなあ」「オシャレだな」と思ったら、すぐにメモを取り、「言葉の財産」をためましょう。

これで皆さんも、ワンランク上のおやじギャグを言えるようになります（笑）。

「すべらない話」の作り方

ノートに「笑ってしまったこと」を書く

皆さんは、フジテレビの「松本人志のすべらない話」という番組をご存じでしょうか？　「人を笑わせたい！　面白い話がしたい！」と思っている方なら、一度は観たことがあるかもしれません。

この番組にはプロのお笑い芸人がメインで出演し、どの芸人さんも本当に面白い話を立て続けに披露します。私も勉強のために録画して観ていますが、毎回爆笑してしまいます。

皆さんも人を笑わせるにあたっては、「どうすればスベらないか」を念頭に置いて、自分なりの「すべらない話」を考えていただきたいと思います。

では、「すべらない話」の作り方を一緒に考えましょう。

まずは、ノートを用意します。ここでも「書く」という行為が非常に大事です。話を整理せず、やみくも喋ってしまうと、たとえ内容が面白くても、笑いにはつながりにくいからです。

ノートには、自分自身が日常生活で笑ってしまった事柄をいくつか書き出してみてください。その際、次の３つのポイントを踏まえることが重要です。

１つ目は、「５Ｗ２Ｈ」を意識すること。５Ｗ２Ｈに沿って書き出し、時系列が前後していないかをチェックしてください。

２つ目は、「起承転結」にまとめること。書き出した文章を、「起承転結」の構成になるように組み立てます。

そして、３つ目に、「笑いの3原則」の確認です。「フリ・本ネタ・オチ」要素が順番通りに入っているかをチェックして、できあがった文章を読み直してみてください。

さらに、人が笑うときの心理、すなわち「共感」、「緊張と緩和」、「裏切り」、「非常識」の要素を取り入れることを意識しながら、文章を整えます。

これで「すべらない話」の完成です。

「すべらない話」の話し方

こうして「すべらない話」ができあがっても、これで終わりではありません。

続いて大切になるのは、「話し方」です。

もし、「松本人志のすべらない話」で芸人さんが披露した「すべらない話」を、そのまま素人の方が1字1句完コピして話したとしたら、ウケるのでしょうか？

もちろん、話自体が面白いので、ある程度は笑いが取れるかもしれません。でも、ウケない可能性の方が高いと思います。

なぜならば、お笑い芸人は、人を笑わせるノウハウや技術をフル稼働して、内容はもちろんのこと、話し方も工夫して喋っているからです。だから、お笑い芸人の話は面白いし、スベらないのです。

皆さんがノートに記した「すべらない話」も、どんなに面白い話だったとしても、話し方がグダグダだったら笑いが逃げてしまいます。それではすべてが水の泡。もったいないですよね。

では、どうすれば「すべらない話」が成功するのでしょうか。

まずは、「これから面白い話をする」という「前フリ」をしないこと。

そして、表情、声、しぐさ、抑揚を意識して話し、オチの前ではしっかり「間」を空ける。

さらに、喋りながら自分で笑ってしまわないように気をつけること。

これらを守れば、きっと相手は笑ってくれるはずです。

とはいっても、こうやって文章で読んでいるだけでは、知識は得られても、テクニックは身につきません。

私のおススメは、自分が喋っている音声をスマホで録音したり、動画で撮影したりすることです。

自分の話を客観的に聞いてみると、笑い待ちができていなかったり、なんだか「間」が悪かったり、改善すべきポイントが発見できるでしょう。

あとは実践あるのみ。何度も人前で「すべらない話」を披露してみて、経験を積んでください。「習うより慣れよ」です。

過去のマイナス体験は「自虐ネタ」に変えられる

「５つのＦ」で過去のマイナス体験を書き出す

前節では「すべらない話」の作り方、話し方について学びました。「すべらない話を作るといっても、大変だなあ」と思った人も多いはず。

でも、心配無用です！　手っ取り早くできるネタがあります。それはズバリ、「自虐ネタ」です。

毎年クリスマスの頃に放送される「明石家サンタ」（フジテレビ）というテレビ番組があります。これは、視聴者から不幸話を募集し、番組内で披露するものです。

この「明石家サンタ」は、１９９０年の放送開始から、なんと32年間も続いている長寿番組。なぜこんなに人気があるかというと、人の不幸が面白いから！　みんな、人の不幸話が大好きなんです。

だから、自虐ネタは聞き手に喜んで聞いてもらえること、間違いなし。

人生、生きていれば、山あり谷あり、いろいろなことがあります。時には、吹雪や嵐に遭遇することもあるでしょう。そんなときは、どんな人も失望感や絶望感にかられます。

また、人生には失敗がつきものです。生きている限り、人は必ず何かしらの失敗をします。失敗すると、みじめな気持ちになったり、自信をなくしたりしますよね。

そうした過去のマイナス体験は、できることなら心の奥底に封印したいもの。でも、自虐ネタで笑いを取るために、そのマイナス体験を大いに役立てましょう。

まずは、過去のマイナス体験を可視化することから取り組みます。つまり、ここでも紙に書く作業を行います。

人によっては、瞬時に過去のマイナス体験を思い出せないこともあるでしょう。そんなときは、「5つのF」に沿って考えてみることをオススメします。

「5つのF」とは、Fの頭文字から始まる、次の5つの英単語のことです。

①Failure（失敗）
②Flaws（欠点・弱点）
③Frustrations（挫折・失望）
④Fright（恐怖）
⑤Fralities（脆さ・はかなさ）

①Failureは、失敗体験です。
「初デートで入ったお店で、注文を取りに来たウエイトレスが元カノだった」とか、「成田空港に着いてパスポート出したら、年金手帳だった」などなど。小さな失敗から大きな失敗まで、いろいろ挙げられますよね。

②Flawsとは、自分の欠点や弱点のことです。
「過度の猫舌で、熱いものが苦手」とか、「重度の花粉症」など、どなたにも欠点や弱点の１つや２つ、あることでしょう。

③Frustrationsは、挫折や失望を意味します。
「コインパーキングで隣の車の清算しちゃった」とか、「パスワードを3回連続して間違えてロックされた」など、日常生活にたくさんあるはずです。

④Frightは恐怖体験のことです。
「原付で走っていたら暴走族が後ろから来て、いつの間にかその中心で走ってた」とか、「会社のパソコンでエロサイトを見ていたら、社長が後ろに立っていた」など、経験したことはありませんか？（笑）

⑤Fralitiesは、脆さや、はかなさという意味です。
「くしゃみしたら差し歯が取れた」とか、「おならしたら何か出てきた」などなど。

どれも、思い出すだけでくじけそうになる「5つのF」ですが、まずは書き出してみましょう。そして、そこに笑いの要素を入れてみてください。
笑いの要素の入れ方は、前節でお伝えした「すべらない話」の作り方を参考に。さあ、「すべらない自虐ネタ」の完成です。

過去の出来事（事実）は変えられないけれど、捉え方次第で笑いに変えられる

これまでの私の生き方を振り返ってみると、紆余曲折の連続。本当に波乱万丈な人生を送ってきました。

私も以前は、自分の過去が恥ずかしくて、誰にも打ち明けられませんでした。

でも今は、波乱万丈の過去を恥と捉えて封印することをやめ、あの過去があったからこそ、今、理想的な生き方ができているのだと感謝するようになりました。

そして、自殺防止の講演や、いのちの電話の講演などを通じて、当時の話を笑いを交えながら面白おかしく話すことで、自殺志願者の方や、鬱（うつ）病で苦しんでいる方に笑顔をもたらすことができるようになりました。

死ぬほどつらかった、苦しかった自分の過去が、誰かの役に立つ――こんなに嬉し

いことはありません。

言うまでもありませんが、過去の出来事を変えることはできません。それは、まぎれもない事実だからです。

しかし、自分の捉え方次第で、笑いに変え、人を笑顔にすることはできます。

そう捉えると、私が体験した良いことも悪いことも、嬉しいことも悲しいことも、何ひとつ、無駄ではなかったと思えます。

たとえ皆さんが、今が人生のどん底であったとしても、失望と落胆の念にかられていようとも、近い将来、必ず笑い話になるときがやってきます。今の経験が姿・形を変え、必ず生きるようになるのです。そう思えば、心が軽くなりませんか？

くどいようですが、良いことも悪いことも捉え方次第。すべて笑いに変えてしまいましょう。そうすることで、精神的に本当に楽になります。

すべったときの対処術

一度スベッたら「天丼」を狙う

どんなに苦労して考え、磨きをかけたネタであっても、ウケないときがあります。これは、その場の空気や、話し方、「間」の取り方、聞き手の心境など、さまざまな要素が関係しています。

一方で、全く面白くない言葉やネタであっても面白くなる、面白く感じる方法もあります。それは、「天丼」です。

天丼といっても、普段私たちが食べているアレではありません。お笑いで用いられる専門用語です。

同じギャグやボケを二度、三度と繰り返して笑いをとる手法のことを指す。余り間を置かずに畳み掛けるように使ったり、他者のボケに乗っかる形で重ねる場合は、かぶせ（る）と称することもある。

語源は、天丼には一般的に海老が二本載っていることから。

言葉だけに限らず、特定の動作や身振り手振り等、ウケの取れるものならなんでも含む。短時間のうちに連発することもあれば、相手が忘れた頃や別の話に切り替わった後に、突然前の話で面白かった部分を引っ張ってくるなど、手法は様々である。

「ニコニコ大百科」より引用

私なりに説明すると、天丼とは、一度スベったネタを、何度も繰り返してやることによって、面白く感じさせてしまう手法のことです。

この手法は、お笑いの舞台でよく使われていて、前に出た芸人さんがスベった言葉やネタ、ギャグなどを、次に出てきた芸人さんが冒頭でやると笑いが起きます。これが「ツカミ」になります。

日常生活に置き換えると、誰かが口にしてスベった言葉を、ほかの人があえて使ったらウケた……といったところでしょうか。

ニコニコ大百科にもあるように、これを、かぶせ（る）ともいいます。要は、かぶせが「ツッコミ」の役割を果たすわけです。

一度スベると心が折れそうになりますが、そこで諦めずに、二度、三度繰り返してみてください。

それでもウケなかったら……、それは本当に面白くないと思うので、一生やらないようにしてください（笑）。

「リカバリートーク」で笑いを取る

挨拶やスピーチなどで笑いを取りにいこうとして、思いきりスベったこと、ありませんか？

それが原因で、人を笑わせることに自信をなくした方も少なくはないと思います。

でも、これからは心配ご無用！「リカバリートーク」を使えば大丈夫です。「リカバリートーク」とは、一度スベっても、笑いを復活させるトーク術です。いわば「言葉（笑い）の敗者復活戦」ですね。

意図したところで笑いが起きなかったとき、すぐに次に挙げるフレーズを続けてください。


「なんで笑わないの？　なんなの？　反抗期？」

「なに？　この盛り下がり？」

「あれ？　今の聞こえてなかった？　もう1回言いましょうか？」

「皆さん、笑ったことない人？　笑い方教えましょうか？」

「思ってた反応と違う……」

「サクラ仕込んだのに、サクラすら笑ってない……」

「これ○○君が言えって言ったんです」（※誰かのせいにする）

「あれ？　夏（または冬）の疲れが今出たのかな？」

「あぶねぇ、もう少しでスベるところだった」

「爽やかな苦笑い、ありがとうございます！」

「今日はウケなかったけど明日から本気出します！」

「スベったけど、心折れずに頑張ります！」

「今の忘れてください……」

「もうこのネタ、一生やりません！」

「今、何か大切なものを失った気がする」

「言わなきゃ（やんなきゃ）よかった……」

「大丈夫、大丈夫。この反応予想通りですから……」

「『○○さん、めちゃめちゃ面白いですね』……って言われたい……」

「このネタで笑わない人たち、引くわぁ〜！」


　また、コロナ禍のときは、その時代の旬な言葉を取り入れてリカバリーしたこともあります。


「あれ？　コロナ禍で笑いも自粛ですか？」

「皆さんの心がどんどんソーシャルディスタンス！」

「笑いの緊急事態宣言発令しますよ！」

「失笑のクラスター発生してますよ⁉」

私は舞台でスベったときに、こうしたフレーズを用いることで笑いを取り返してきました。これまでに、どれだけ救われたことか……（笑）。

皆さんも、スベっても凹むことなく、リカバリートークで笑いを取り戻してみてください。

ただ、「ここ、笑うところですよ⁉」というフレーズは、リカバリートークにはなり得ません。

「ここ、笑うところですよ⁉」というフレーズは、これまでに何度も使い古されてきたものです。そのため、今では非常に笑いが取りにくく、言ってしまえば、おやじギャグと同等の扱い（汗）。

ですから、もしこれで笑いが取れたとしても、それは失笑か苦笑いだと自覚してくださいね。

日々の習慣が笑いを生み出す

話す前に紙に書く

メモの重要性についてはご理解いただけたと思いますが、それと同じくらい重要なのが、話す内容を事前に紙に書いておくことです。

そうです。挨拶やスピーチ、講演やセミナーなどで笑いを取りたいときは、必ず事前に、話す内容を紙に書き、原稿を作っておいてください。

原稿作りは、以下の手順で行います。

はじめに、形式的な挨拶など、必要最小限、言わなければならない言葉を書き出します。

次に、話したい事柄やワードを書き出し、それを「起承転結」の文章にまとめます。

ここまでは、普通の話と同じです。続いて笑いの要素を取り入れていきます。

まずは、「ツカミ」。冒頭に笑いの空気を作る仕掛けを取り入れます。

続いて、適宜「お笑いの要素」を組み込んでいきます。ここでのポイントは、必ずメインとなる話のストーリーに合った笑いであること。単に面白い話や言葉を入れたとしても、話の脈略に合っていないと、笑いにはつながりません。

原稿ができあがったら、なるべく暗記してしまいましょう。

本番では原稿を見ながら読むよりも、何も見ずに喋った方が、断然笑いが取りやすくなります。なぜなら、原稿を読むと緩急や抑揚をつけにくく、棒読みになりがちだからです。また、笑いを取るのに大事な「間」を取るのも難しくなります。

「そんなに長い文章、覚えられないよ」という人は、キーワードだけ書いた紙をカンペとして近くに置いておくだけで、ぐっと喋りやすくなるでしょう。キーワードを書いておくだけで、話す順番を間違えることがなくなり、何より、笑いを取るセリフを飛ばさずにすみます。

代表としての挨拶、結婚式でのスピーチ、セミナーの講師を務めるなどのときは、まずは、原稿を作ることから始めてください。

１日１回「徳」を積む

笑いには不思議な力があります。笑うことで相手が幸せな気分になるだけではなく、それが自分にも返ってくるようになり、人生全般が好転するようになります。

そうした観点からいうと、人を笑わせることは「徳積み」につながるといってもいいでしょう。

よく、「一日一善」が徳積みといわれますが、「一日一笑」にチャレンジしてみてください。1日に1回、人を笑わせる習慣をつけてほしいのです。

最初はうまくいかないかもしれません。でも、人の笑顔に接すると、自分自身も楽しくなります。すると、笑いの精度も上がり、人を笑わせることがだんだんと面白くなっていきます。

そうしたら、今度は1日に何回笑わせられるか、何人を笑わせられるかなど、「数」に挑戦してみてください。

意図的に人を笑わせられるようになると、ますます楽しくなり、もっともっと試したくなります。こうなれば、もう皆さんはれっきとした「面白い人」です（笑）。

そして、「面白い人」に変身できれば、仕事はもちろんのこと、人生全般の流れが好転していくのを実感できるに違いありません。

私は、それを確信しています。

なぜならば、私自身が人を笑わせ続けた結果、なりたい自分になれたからです。

第6章

人を笑わせ続けたことで起こる奇跡

山あり谷ありの半生

第2の人生を歩み始める

ここまでお読みいただき、「笑い」には、どれくらい大きなプラスの作用があるのか、ご理解いただけたでしょうか。

「笑い」は、子ども、学生、主婦、ビジネスパーソン、退職後のシニアの方々、老若男女問わず、すべての人が大好きなコミュニケーションの要素です。

そんな大事なことなのに、義務教育でも高等教育でも、人を笑わせるテクニックは教えてくれません。皆さんの中にも、自己流で笑わせようと奮闘し、痛い目に遭ったことがある方もいらっしゃるでしょう。

今は芸歴18年になるプロのお笑い芸人である私だって、最初から順風満帆で、いつでも誰でも笑わせられたわけではありません。

本書の最後に、山あり谷ありの私の半生について振り返りたいと思います。

第1章でも述べたとおり、営業マンとして成績を残した私は、勢いに乗って起業します。念願の「お金持ち」になったのも束の間、会社は倒産し、仕事も財産も家庭も失いました。

生まれて初めて絶望的な挫折を味わった私は、人生のどん底に突き落とされ、38歳の誕生日に自殺を図りました。

でも、結局死にきれず、そこから第2の人生を歩み始めます。

R-1ぐらんぷりの出場を機にチャンスをつかみ取り、お笑い芸人魔界岩棲（マカイロックス）としてのキャリアをスタートさせた私。

テレビに舞台に、自分の本当に好きな「お笑い」の仕事ができて、毎日の生活が楽しく充実するようになっていきました。

母が悪性リンパ腫に

そんなあるとき、弟から1本の電話がかかってきました。あの厳しかった母が悪性リンパ腫になってしまったというのです。

主治医からは「いつどうなるかわからない状態」と言われ、これには私も、ものすごいショックを受けました。

「オレは長男だし、弟に何もかも押しつけるわけにはいかない」――悩みに悩んだ末、私は15年住んだ大阪を後にして、実家の埼玉県に戻る決意をしました。

そして、2010年。埼玉県の実家で、病気の母と父との3人暮らしが始まりました。

私は芸人の仕事が大好きでしたが、それだけではとても生活できず、アルバイトも掛け持ちせざるを得ない状況でした。

それに、芸人の仕事は先が読めず、常に不安と隣り合わせです。ほかの仕事と掛け持ちすることで、「保険」をかけていたのです。

そんな私に強烈なカウンターパンチを食らわせたのが、病床の母です。

「40歳を過ぎたいい大人が、何がお笑い芸人だ！　夢で飯が食えるわけないだろう。頼むから目を覚まして！　安心させてくれ！」

抗がん剤治療に苦しみ、髪の毛が抜けた状態の母から発せられた言葉は、まさに正論。私にとって、非常に耳の痛い言葉でした。

そして、悩みに悩んだ末、大好きだった芸人という職業を諦め、普通の仕事に就く決心をしました。

死に方は選べないけど、生き方は自由に選べる

父の言葉に腹を決める

母の言葉によって、一般企業に再就職することにした私。仕事内容は得意の営業だったため、生活に困らないほどには収入を得ることができました。

でも、本当にやりたい仕事ではなかったので生きがいを感じられず、毎日を虚しく過ごしていました。しかも、幼少期のように、母の顔色をうかがう毎日に戻ってしまったのです。

そんなある日、衝撃的な事件が起こりました。

私の唯一の理解者で、芸人としての私をずっと応援してくれていた父が、脳溢血で倒れてしまったのです。

健康が取り柄で、一度も病気をしたことのなかった、あの父が……。

お見舞いに向かった私は、病院のベッドに横たわる父に、思わず泣き言を漏らしました。

「親父、オレ、またお袋と大喧嘩してしちゃったよ。やっぱり芸人で食ってくのは諦めようかな……」

すると、父は私にこう言いました。

「人間って、死に方を選べないよな？」

言われてみれば、その通りです。自殺以外、人は自分で死に方を選ぶことはできません。老衰かもしれないし、事故や病気かもしれません。もしかすると、地震などの天災の可能性もあります。

父は、こう続けました。

「でもな、生き方は自由に選べるんだよ！　お前が本当に心の底からやりたいこと、信じた道は芸人なんだろ？　だったら芸人で真剣に生きてみろ！」

父の言葉を耳にした瞬間、私の頭に雷がドーン！と落ちたような衝撃が起こり、父の前で号泣してしまいました。

逃げ道を塞いで、芸人に一点集中

「人間、死に方は選べないけど、生き方は自由に選べる！」

この言葉にはものすごく勇気づけられ、未来に向けて大きな希望を見いだすことができました。

同時に、父のこの言葉によって、この先どんなに母から反対されても、芸人だけでやっていくという決意と覚悟を新たにすることができました。

人間、決意と覚悟さえあれば、いつでも変わることができます。

私は当時従事していた仕事を辞めて、芸人に一点集中することに決めました。「背水の陣」のごとく、自分の逃げ道を塞いだのです。

今までは、芸人だけで食っていきたいと言いながら、ほかにも仕事やアルバイトをして「保険」をかけていました。

でも、それでは自分の持てる力がフルに発揮できない。

芸人としての道を拓いていくためには、一歩も後に引けない状況に身を置いて、決死の覚悟で物事に当たるしかない。そのことに気づいたのです。

こうして、私は父の言葉から人生の流れを変えることができたのですが、このやり取りから2日後、父の意識はなくなり、半年後に天国へ逝ってしまいました。

「人間、死に方は選べないけど、生き方は自由に選べる！」という言葉は、まさしく私にとっての遺言でした。

その最愛なる父の遺言のおかげで、私は芸人という職業を諦めず、今でも続けられているのです。

私は、喪主を務めた父の葬儀の最後の挨拶でこう言いました。

「私は、これまでの人生、尊敬する父の言葉で何度も救われてきました。でも、父に親孝行することができないまま、亡くなってしまいました。生まれ変わることができるなら、また父の子どもとして生まれて、今度は親孝行したいです」

親父、今まで本当にありがとう……（涙）。

母との雪解け

８００人を前にした舞台。そのとき母は

父の逝去後も、母とは何度も口論しました。そして、なんとか母に自分のことを認めてもらいたく、「８００人を満席にし、大爆笑を取る」という約束を交わします。

達成は難しいと思われていたのに、地道に営業の種をまいてきたことが芽を出し、まさかの８００人を前にした舞台が実現。そして、渾身のネタを披露したところ、大爆笑の連続で大成功を収めます。

これには私も全身に鳥肌が立ち、本当に嬉しくて泣きそうになりました。そして、心からの感謝の気持ちを込めて、たくさん笑ってくださったお客様に「ありがとうございました！」と、深々と頭を下げました。

その瞬間に沸き起こった、地鳴りのような拍手。初めて経験した800人の拍手の迫力のことは、今も忘れることができません。

「これだけ爆笑が取れたのだから、さすがにお袋もオレを認めてくれるだろう」と思った私は、舞台の上から、客席にいるはずの母を探しました。でも、客席の照明は暗く落とされ、また、私は舞台でスポットライトを浴びているので、よく見えません。

と、そのときです。客席の照明がつき、会場内がパッと明るくなりました。客席に座るお客様1人ひとりの顔が、ハッキリと確認できるようになったのです。

どの方も、満面の笑顔で拍手を送ってくれていました。諦めずにお笑い芸人の仕事を続けてきて、本当によかったと、心から実感した瞬間です。

きっと、母も皆さんのように笑顔で拍手をしてくれているだろう、と期待しながら、私は母を探しました。

そしてようやく、客席の中に、母の姿を見つけました。

厳しい母は、笑顔もなく、拍手もしていませんでした。

どうしていたかというと……

号泣していたのです……（涙）。

母は子どものように、人目もはばからず泣いていました。その姿を目の当たりにした瞬間、私の涙腺もとうとう崩壊。舞台の上で、大粒の涙がぼたぼたと流れ始めました。

その涙を隠すために、もう一度大きな声で「ありがとうございました！」と叫び、深く頭を下げました。大粒の涙を流しながら、垂れ幕がゆっくり下がるという、一生忘れることのできない最高の舞台でした。

単独ライブにお客様が1人しか来なくて悔し泣きをした日から数カ月後、今度は歓喜の涙で幕を閉じることができたのです。

一番の理解者は、ほかならぬ母だった

大成功に終わった舞台から、数日後のことです。私が幼少時代からお世話になっている近所のおばちゃんが我が家に遊びに来て、こんなやり取りをしました。

おばちゃん　「しんちゃん、この前、お母さんと一緒に敬老会に行ったんだけど、すごく面白かったよ！　大爆笑だったね。お母さん、嬉しくて泣いていたよ」

私　「私も舞台上からお袋が泣いてるのを見て、つい、もらい泣きしちゃいましたよ。でもあの後、お袋はそのことには一切触れず、褒めてもくれないんですよ」

おばちゃん　「今まで反対していたから、褒めにくいのよ」

私　「そうなんですかね？　でもね、母が初めて私の舞台を観に来てくれたことは、本当に嬉しかったです」

その言葉を聞いたおばちゃんの顔が、一変します。

「何言ってんの!?　お母さん、しんちゃんのこれまでの舞台、全部観に行ってたのよ！」

衝撃の事実。思わず耳を疑いました。

あの日、初めてお袋が舞台を観に来てくれたと思い込んでいたけど、実は自分の過去の舞台をすべてこっそり観に来てくれていた。

お袋は、陰でずっとオレのことを応援してくれていたんだ。反対していたと思っていたお袋は、実は自分の１番の理解者であり、応援者だった……。

この事実にずっと気づくことなく、病気の母に暴言を投げ、つらく当たっていた自分が本当に恥ずかしく、情けなく思えました。

そして、照れくさくて、とても言いにくかったのですが、意を決して母に謝ることにしたのです。

「お袋、今までつらく当たって本当に悪かった。オレ、売れて親孝行するから長生きしてくれよな！」

すると、母はビックリした表情を見せ、続いて笑顔になり、こう言ってくれました。

「売れなくたっていいんだよ……。あんたが本当に好きなことをやってる姿を見れるのが、私にとって1番の親孝行なんだよ」

この言葉を聞いた瞬間、私はその場で泣き崩れてしまいました。

そして、その日を境に、母は堂々と、私のお笑いの舞台を観に来てくれるようになったのです。

さらに嬉しいことに、2008年に悪性リンパ腫と診断された母は、その後、奇跡的に回復。闘病生活10年目でなんと、完治してしまったのです。

2022年8月23日、88歳の米寿を迎えた母は今でもピンピンしています。これは私の勝手な憶測ですが、母は私に内緒でお笑いを観続けてきたおかげで、NK細胞が活性化して悪性リンパ腫が治ってしまったのかもしれません。

お袋、ちゃんと親孝行できるまで、長生きしてくれよな！

あとがき

皆さんの両目には1兆円以上の価値がある

皆さんに質問です。もし、「1兆円差し上げます！」と言われたらどうしますか？
欲しいですよね？　お金はいくらあっても邪魔にはなりませんから、私も速攻で、食い気味に、「欲しい！」と答えます（笑）。

じゃあ、「1兆円を差し上げる代わりに、皆さんの両目をください」と言われたらどうでしょう？

それでも1兆円が欲しいですか？　私は欲しくありません。ということは、皆さんの両目には1兆円以上の価値があるということです。

なぜ、こんな突拍子もない話をしたかというと、そのように考えるだけで、当たり前のことに感謝できるようになるからです。

両目があるのは、当たり前のことではありません。1兆円以上の価値がある、ものすごくありがたいことなのです。

以前の私は、お金持ちになることが幸せの条件だと思い込んでいました。でも、合計8つの会社を経営していたとき、ある程度のお金を手にしたにも関わらず、幸福感を感じることはほとんどありませんでした。幸せの価値観はお金ではないことに気づいたのです。

比べるのは「過去の自分」と「今の自分」

かつての私は、いつも足りないもの、欠けているものにフォーカスして、「あれがない、これがない」と、不平不満ばかり口にしていました。

でも、それだと、いつまでたっても幸せにはなれません。

逆に、「あるもの」にフォーカスしてみると、どうでしょう。

目がある、口がある、耳がある、手がある、足がある……、私の場合、五体満足の体、そして健康な体に対して心から感謝できるようになりました。

「あるもの」は、体だけではありません。家がある、車がある、仕事がある、ほかにもたくさんの恵まれていることに気づくことによって、幸せな気分になれたのです。幸せとは「なる」ものではなく、「気づく」ことなのだと思い知ったのです。


また、過去の私は、成功している人を見ては、自分と比べて卑屈になり、他人を羨ましがってばかりいました。「隣の芝生は青く見える」です。

でも、他人と比べても幸せになれないことに気づきました。

また、私が羨ましく感じている相手に話を聞いてみると、実はいろいろと苦労をしていて、そこまで幸福感を感じてなかったり、逆に私のことを羨ましがったりしていました。

私はこの経験から、比べるのは自分と他人ではなく、「過去の自分」と「今の自分」だと、考え方を改めました。すると、気持ちがすごく楽になり、過去の自分より、必ず成長してやる！　向上してやる！　と、意欲が湧くようになりました。

皆さんが本書を通じて、過去の「人を笑わせることができなかった自分」と、今の

「意図的に人を笑わせることができる自分」を比べて、成長を実感してくださったら、こんなに嬉しいことはありません。

人生には向かい風が沢山吹く。でも、自分自身が向きを変えればそれは追い風になる

私の人生は向かい風だらけでした。でも、その向かい風も自分自身が向きを変えれば、それは追い風に変わることに気づきました。

それは、小さな一歩で構わないから、行動を起こすことです。

想像してみてください。皆さんは船の船長だとします。舵を1ミリだけ動かすと、どうなりますか?

たったの1ミリですから、直後にはほとんど方向は変わりません。でも、半年後には、船は全然違う方向を向いています。

ほんの小さな行動が、その後の人生を大きく左右するということです。

私自身、R-1ぐらんぷりに出るという1ミリの行動を取ったことで、向かい風が

追い風に変わりました。

皆さんも、やらずに後悔していることや、先延ばしにしていることがあるならば、すぐに行動してみてください。

「やるか・やらないか」で、その後の人生は大きく変わっていくのです。

笑いは人生を好転させる

楽しい人生を送りたいと願う人に、最後に、メッセージを贈らせていただきます。どんなことがあっても常に笑顔でいること、笑うことを心がけてください。楽しいから笑うのではなく、笑っていると不思議に楽しくなるのです。

人間、生きていればつらいこと、悲しいことがたくさん起こります。でも、そんな時こそ笑ってほしいのです。そして、人を笑わせ、一緒に笑ってほしいのです。

必ず気持ちが楽になります。そして、いろいろなことが好転するはずです。

楽しいから笑うのではなく、「笑う」という行動が先。そうすれば、よい感情が後から勝手についてきます。

私は今では、お金をたくさん稼ぐことよりも、人の笑顔を見ることが、1番の幸せだということに気づきました。

人の笑顔が我が喜びです。幸せの価値観とは、常に自分の心が決めるのです。

人を笑わせることが私の喜びであり、私の生きがいです。

過去に、「職業はお笑い芸人です」と答えると、「え？　いい年こいてお笑い芸人？」という顔をされ、立場的に下に見られたり、急に態度を変えられたり、少しバカにされることがしばしばありました。そのせいで、職業を尋ねられても「お笑い芸人」とは恥かしくて言えなかった時期があります。


でも、今では胸を張ってこう答えます。

私の職業は、「人を笑顔にするお仕事です」と。

さあ、皆さんも人を笑わせること、人の笑顔を見ることを喜びとしてください。

「笑い」は人生を好転させます。

最後に、本書を出版するにあたりご尽力いただきました有限会社おふぃすラポートの倉林秀光さん、そして、出版の労をとってくださった産業能率大学出版部の瓜島香織さんに、心より感謝申し上げます。

2023年1月吉日

お笑い芸人　やせ騎士（ナイト）

公式ホームページ　https://yasenaito.jp/

■著者紹介■

やせ騎士(ナイト)

お笑い芸人。
日本ダイエット健康協会認定
ダイエットインストラクター。
講演家・セミナー講師。
ボクシングトレーナー。
公式ホームページ https://yasenaito.jp/

青山学院大学を卒業後、大手企業に就職しサラリーマンを３年経験。その後独立し、大阪で人材派遣会社を設立。約 10 年間で計８社の会社を経営する青年実業家になるも、倒産、自己破産、離婚と人生のどん底を経験し、自殺を図るも未遂に終わる。この時に生かされたこの命を今後の人生でどう使うかを真剣に考え、人を笑顔にしたい一心でお笑いの道に転身。2007 年に吉本興業 (大阪) に所属し舞台やテレビを中心に「魔界岩棲（マカイロックス)」の芸名でピン芸人として活動。2008 年～2009 年には、日本テレビ「エンタの神様」に出演。

母の病気をきかっけに 2010 年に埼玉県の実家に戻り、吉本興業を辞める。大阪の井岡ボクシングジムでボクシングトレーナーとして減量やダイエット指導をしていた経験を活かし、2011 年に日本ダイエット健康協会のダイエットインストラクターの資格を取得。2012 年に、ダイエットインストラクター芸人「やせ騎士(ナイト)」の芸名で、オスカープロモーションのお笑いライブに約４年出演。「お笑い」「健康」「ダイエット」の３つを融合した、ためになって笑えるネタを展開。「面白くて笑えてダイエット法や健康知識も学べる！」との評判が口コミで広がり、国・県・市の各公共施設、高齢者介護施設、大手企業、商工会、ロータリークラブ、ライオンズクラブ、小学校、中学校、高校、大学、専門学校等で「お笑いダイエット講座」や「お笑い長生き健康講座」、「しくじり先生～倒産、自己破産、離婚、自殺未遂からの人生逆転劇！」などのテーマで講演・セミナーを頻繁に開催。その他、さまざまなイベントの司会やお笑いライブ等、喋りの仕事のオファーが殺到！ 2019年2月には1,200人の会場でミュージカルの主役にも抜擢され、2019年10月には大手生命保険会社のイベントに呼ばれ、2,000人満席の会場で大爆笑を取る。これまでに約3,500舞台を経験し、現在も全国から年間で約250件の講演・セミナー・お笑いのお仕事の依頼があり、忙しくも充実した日々を過ごしている。

【やせ騎士のセミナー＆講演ラインナップ】

- **「お笑いダイエット＆健康セミナー」**
  ダイエットと健康知識を笑いながら学べる、大手企業の集客イベントで一番人気のセミナーです。
- **「お笑い美容＆ダイエットセミナー」**
  女性に大人気のセミナーです。
- **「営業スキルアップセミナー 〜なぜ？ 同期で営業成績ビリだった私が、トップセールスマンになれたのか？」**
  大手企業の営業研修などで実施。セミナー後、売れなかった営業マンが急に売れるようになったという報告を沢山いただいております。
- **「しくじり先生〜倒産、自己破産、離婚、自殺未遂からの人生逆転劇！」**
  自己啓発系のセミナーで、小学校から大学までの学校や企業、公共施設などで行っています。
- **「お笑い“ご長寿・健康”講座」**
  長生きする人には共通点があります。その共通点を、目から鱗の内容満載で、笑いながら健康知識を学べる唯一無二のセミナーです。
- **「お笑い終活セミナー」**
  楽しく笑いながら、自分自身の死について真剣に考えるキッカケとなるセミナーです。大手保険会社さんや大手葬儀屋さんで人気のセミナーです。
- **「芸歴18年目のプロのお笑い芸人が伝授 〜人を笑わせる秘技講座」**
  本書の内容の実践編。プロのお笑い芸人が人を笑わせる秘技、ノウハウを伝授致します。

◆講演、セミナーの依頼は前ページのホームページからご相談ください。

企画協力：倉林秀光（おふぃすラポート）

成功したいなら相手を笑わせなさい
笑いはすべてを好転させる
〈検印廃止〉

著　者　やせ 騎士
発行者　坂本 清隆
発行所　産業能率大学出版部
東京都世田谷区等々力 6-39-15　〒 158-8630
（電 話）03（6432）2536
（FAX）03（6432）2537
（URL）https://www.sannopub.co.jp/
（振替口座）00100-2-112912

2023 年 5 月 10 日　初版 1 刷発行
2024 年 7 月 31 日　2 刷発行

印刷・製本／渡辺印刷

（落丁・乱丁はお取り替えいたします）　ISBN 978-4-382-15836-8

産業能率大学出版部刊行

マーフィーの成功法則シリーズのご紹介

- 新装版 眠りながら成功する
- 新装版 あなたはかならず成功する
- 新装第二版 眠りながら巨富を得る
- 新装版 マーフィーの黄金律（ゴールデンルール）
- 新装版 人生に奇跡をおこす
- 新装第二版 マーフィー名言集
- 新装版 あなたも金持になれる
- 新装第二版 あなたはこうして成功する
- 新装版 マーフィー100の成功法則
- 新装版 マーフィーの成功法則
- マーフィー愛の名言集
- マーフィー「人間関係につまずかない」55の法則
- マーフィー「お金に不自由しない人生」55の法則